Scéin Scatháin

Helen Emanuel Davies

Brian Ó Baoill
a d'aistrigh ón mBreatnais

Cló Iar-Chonnachta
Indreabhán
Conamara

An Chéad Chló 2000
An Dara Cló 2004

ISBN 1 902420 25 X

Pictiúr Clúdaigh: Brett Breckon
Dearadh: Foireann CIC

Tugann Bord na Leabhar Gaeilge
tacaíocht airgid do Chló Iar-Chonnachta

Tugann An Chomhairle Ealaíon
cabhair airgid do Chló Iar-Chonnachta

Rinneadh an leabhar seo a aistriú le tacaíocht Cyngor Celfyddydau Cymru (Comhairle Ealaíon na Breataine Bige).

Clóchur: Cló Iar-Chonnachta, Indreabhán, Conamara
Teil: 091-593307 **Facs:** 091-593362 **r-phost:** cic@iol.ie
Priontáil: Clódóirí Lurgan, Indreabhán, Conamara
Teil: 091-593251/593157

Clár

Scéin Scátháin 7

An Clog 21

Mallacht Mharcuis 33

Breithlá Lil 47

An Dilchara 59

An Túr Faire 71

An Teach Mór 83

Caisleán an Dorchadais 96

Scéin Scátháin

Clingggg! Bhuail clog na scoile. Bhí an rang Mata thart faoi dheireadh.

'Buíochas le Dia!' arsa Garraí, 'cheap mé nach gcríochnódh sé go brách!'

'Bailígí bhur gcuid leabhar agus siúiligí amach go deas ciúin,' arsa an Máistir Ó Gráinne, (nó an Ghráinneog, mar a ghlaoigh na gasúir air). Ba ar éigean a bhí na focail as a bhéal nuair a bhí na buachaillí sa chúlsraith, Daithí chun tosaigh orthu, ag rith i dtreo an dorais. Tharla tranglam ansin nuair a bhí Garraí agus Daithí ag iarraidh dul amach ag an am céanna. Ba é Garraí an chéad duine tríd an doras ach chuaigh ceangal a mhála i bhfostú i gcnaipe ar chóta Dhaithí. Tharraing an bheirt acu go tréan, agus–pop! –scinn an cnaipe trasna an tseomra agus bhuail sé an Máistir Ó Gráinne go crua ar a chloigeann maol.

''Gharraí! 'Dhaithí! Tagaigí ar ais anseo ar an bpointe boise!' a scread sé, agus an ball nimhneach ar bharr a chloigeann á chuimilt aige.

Ach bhí bun an dorchla bainte amach ag Garraí agus Daithí faoin am sin, agus dearmad déanta acu ar Mhata agus ar an 'nGráinneog', mar ba é seo an chéad oíche den sorcas i gCill Rois! Agus, ó tharla go raibh siopa bia ar an mbaile ag daid Dhaithí, bhí lucht an tsorcais tar éis ticéid saor in aisce a thabhairt dó don chéad seó, agus bhí Daithí, ar ndóigh, tar éis cuireadh a thabhairt dá chara mór, Garraí, dul ann in éineacht leis.

Tar éis don bheirt acu dul trí gheata na scoile stad siad ar feadh nóiméid chun a n-anáil a tharraingt agus le socrú a dhéanamh teacht le chéile ar ball le dul go dtí an sorcas.

'Go breá, mar sin! Bí ag an siopa ar leathuair tar éis a cúig,' arsa Daithí, 'Agus ná bí déanach!' agus ar aghaidh leis i dtreo an bhaile. Bhí Garraí ag dul an treo eile, agus le linn dó a bheith ag siúl abhaile, thosaigh sé ag smaoineamh ar an bpóstaer a chonaic sé faoin sorcas–póstaer oráiste agus bándearg geal le réalta lonrach ag léim as hata dubh mháistir an tsorcais. Bhí an póstaer ag fógairt:

TAGAIGÍ CHUIG SORCAS JINKS
Le breathnú ar
Eibhlín an Eilifint
Cleasa na gCapall
Áilteoirí Greannmhara
Ealaín na b*Palominos*

Bhí sé ag tnúth chomh mór sin leis–ba bhreá leis a bheith ag breathnú ar na pónaithe *palomino* lena n-eireabaill bhána agus iad i mbun a ngluaiseachtaí.

Bhrostaigh sé ar aghaidh agus é ag smaoineamh air agus faoin am ar shroich sé an baile bhí sé ag rith ar nós na gaoithe agus a aghaidh lasta.

'Hé! Hé!' arsa Mam, agus í ag gáire, nuair a rith sé an doras isteach, 'cá bhfuil an tine? Is beag nach bhfeicim deatach ag teacht as do chluasa!'

'Tá Daithí ag iarraidh orm dul chuig an sorcas leis! An féidir liom an tae a bheith agam go luath, a Mham?' a d'fhiafraigh Garraí.

Rinne Mam gáire, agus thosaigh á réiteach dó ar an bpointe.

Bhí chéad seó an tsorcais le tosú ar a sé a chlog agus, ag ceathrú chun, bhí Daithí agus Garraí ina seasamh ag both beag na dticéad agus iad ag taispeáint a gcuid ticéad d'áilteoir a raibh leicne dearga air agus súile móra brónacha ina cheann, é ina sheasamh ag an bhfuinneog bheag.

'Bainigí taitneamh as an seó, a dhaoine uaisle,' ar sé le miongháire cairdiúil, agus ar aghaidh leis na gasúir go dtí an puball mór stríocach a raibh bratach mhór dhearg ar foluain ar a bharr. Ar a bhealach isteach, thug Garraí stuara faoi deara ina raibh rudaí fíorspéisiúla–seans marcaíocht ar phónaí, seastán bronntanas tarraing-sop-ó-phota, seastán flas ceandaí agus halla na scáthán.

'Iontach! Gabh i leith go bhfeicimid na scátháin,' arsa Garraí go díograiseach le Daithí.

'Ní hea, ní hea, tá an seó le tosú nóiméad ar bith–déanfaimid sin ar ball. Isteach sa phuball linn,' a d'fhreagair Daithí.

Agus ceart go leor, ag an nóiméad sin, chuala siad na troimpéid á séideadh agus iad ag fógairt go raibh máistir an tsorcais tar éis teacht isteach sa chró.

Rith na gasúir go dtí an bealach isteach ba ghaire dóibh agus shleamhnaigh isteach go ciúin sa dorchadas go dtí a gcuid suíochán ar imeall an chró mhóir.

Agus nach iad a bhí sásta! Ba iad na capaill órdhonna mhaorga a tháinig i dtosach. Bhí gach srian agus diallait feistithe le dathanna éagsúla–dearg, buí, gorm, glas, oráiste agus corcra; phreab na hornáidí órga ar a srianta faoi na soilse leictreacha. Rinne siad patrúin chasta faoi threoir a máistreása, cailín dorcha, in éadach gairid bán, a bhí ina seasamh i lár an chró agus fuip ina lámh aici. Ansin, tháinig na háilteoirí. Bhí Daithí agus Garraí beagnach lag leis an ngáire agus bhí pianta ina gcliatháin. Ina dhiaidh sin lucht na luascán eitilte, na moncaithe, an leon agus an lámhchleasaí.

Go tobann, bhí an briseadh ann agus bhí deis ag na gasúir dul amach le breathnú mórthimpeall.

Shocraigh siad ar dhul ag breathnú ar an stuara beag a thug Garraí faoi deara agus iad ar an mbealach isteach, agus chuaigh Daithí caol díreach chuig an seastán a raibh an flas ceandaí le fáil ann. Bhí uisce lena fhiacla agus é ag breathnú ar an bhfear agus an flas ceandaí bándearg á shní go healaíonta timpeall ar an mbata fada aige. Ach ní raibh Garraí in ann fanacht nóiméad eile. Ar aghaidh leis go dtí halla na scáthán. Bhí sé faoi dhraíocht ag an gcaoi ina raibh na scátháin in ann cuma an duine a athrú–dhéanfadh scáthán amháin ard láidir é, cosúil le fathach, agus dhéanfadh ceann eile luchóg bheag de, timpeall sé horlaí ar airde!

Ní raibh duine ar bith eile timpeall, agus isteach leis thar an gcuirtín dubh go dtí na scátháin. Bhreathnaigh sé air féin sa chéad scáthán–agus bhí sé fada tanaí caol, agus a chuid gruaige ina seasamh mar chírín coiligh ar a chloigeann. D'ardaigh sé a lámh–bhí sí cosúil le cipín solais sa scáthán. Sháigh sé a theanga amach agus leath sé a shúile–a thiarcais–a leithéid d'aghaidh ghránna! Chuaigh sé go dtí an chéad scáthán eile. Bhí sé chomh cruinn le liathróid anois–aghaidh chruinn, corp cruinn, bhí a dhá chos, fiú, go hiomlán cruinn. Scaoil sé puthanna gáirí as–agus anois bhí béal cruinn air, agus dhá shúil chruinne! Ach bhrostaigh sé ar aghaidh –bheadh an dara leath den sorcas ag tosú i gceann cúpla nóiméad, agus níor mhaith leis na palominos a chailleadh.

Chuaigh sé ar aghaidh go dtí an tríú scáthán. Hm, an-ait go deo. Ní raibh cruth ar bith á thaispeáint sa cheann seo–bhí sé go hiomlán folamh. N'fheadar cén cineál scátháin é seo? Meas tú an súil bheag é an rud sin sa lár? Chrom sé chun an spota dorcha a mhothú . . . ÚISSSSSS! Céard in ainm Dé . . .? Bhí Garraí sínte ar an urlár–agus bhí sé in ann é féin a fheiceáil sa scáthán anois! Agus chonaic sé é féin ag rith ar shiúl–ach ní raibh sé ag rith ar shiúl, bhí sé fós ina shuí ar an urlár!

'Hé, céard tá ag dul ar aghaidh anseo?' a bhéic sé. 'Cén chaoi a bhféadfainn mé féin a fheiceáil ag rith amach as halla na scáthán agus mé fós i mo shuí anseo?'

'Tá tú ar an taobh eile den scáthán, a mhaicín,' arsa guth ciúin taobh thiar de. Ba bheag nár léim Garraí as a chraiceann. Phreab sé ina sheasamh ar luas lasrach, agus chas timpeall le feiceáil cé bhí taobh thiar de.

Chonaic sé fear liath–bhí gruaig liath air, súile liatha, aghaidh liath, éadach liath, bróga liatha–ní raibh rud ar bith a bhain leis nach raibh liath.

'C . . . c . . . cé thú féin?' a d'fhiafraigh Garraí go faiteach.

'Lugh is ainm dom,' arsa an duine agus miongháire brónach á dhéanamh aige. 'Lugh Liath a ghlaonn siad orm san áit seo. Sa domhan taobh thiar den scáthán atáimid, an dtuigeann tú, agus bíonn dath ar bith a thagann go dtí an domhan seo ag teacht ón domhan eile taobh amuigh den scáthán. Tharla an rud ceannann céanna domsa is atá tar éis tarlú duitse anois beag. Bíonn na "Féin-neacha" gránna seo, a bhíonn beo ar an taobh seo, ag iarraidh daoine a tharraingt tríd, agus ag glacadh seilbhe orthu. Sin a tharla domsa, agus ní féidir liom dul ar ais go dtí go n-éireoidh liom "mé féin" a fháil le teacht go dtí an scáthán, agus é a tharraingt tríd ar bhealach éigin. Tá mé anseo le blianta–ní cuimhin liom go díreach cá mhéad anois. Agus tá a fhios agam go bhfuil an "mé féin" seo ag déanamh go leor drochrudaí–agus le fírinne, tá sé tar éis a bheith sa phríosún le fada. Agus bím ag cailleadh beagán níos mó datha gach uile lá a chaithim anseo. Bhí gruaig rua orm agus súile glasa agam nuair a tháinig mé tríd i dtosach–agus bhí dath glas geal ar an ngeansaí seo . . .'

Líon a shúile le deora, agus chas sé uaidh, a chloigeann á chroitheadh aige go brónach.

Bhreathnaigh Garraí air, a bhéal ar leathadh; rinne sé iarracht an méid a bhí ráite ag Lugh a thuiscint agus meabhair a bhaint as.

'E . . . a dhuine uasail . . . em . . . a Lugh–ar dhúirt tú go raibh tú tar éis a bheith anseo le blianta? Em . . . cén áit a mbíonn tú i do chónaí–cá bhfaigheann tú bia?'

Mar bhíodh Garraí i gcónaí stiúgtha–deireadh a mháthair nach bhfaca sí riamh duine a d'íosfadh an oiread leis.

'Ó, ní bhíonn bia ag teastáil uainn–an dtuigeann tú, níl ionainn ach scáileanna sa scáthán anois. Ní bhíonn gá le bia san áit seo.'

Ní bhíonn gá le bia! Chuir sin faitíos an domhain ar Gharraí–gan ithe ar feadh na mblianta–agus an 'é féin' gránna eile taobh amuigh sa saol ar fud an bhaile, ar scoil, lena chairde–ní dhéanfadh sé sin cúis ar chor ar bith. Rinne sé cinneadh ar an bpointe go gcaithfeadh sé éalú chomh luath agus a d'fhéadfadh sé–chaithfeadh sé smaoineamh ar phlean anois, láithreach, ar an bpointe boise!

'Céard é go díreach a chaithfimid a dhéanamh le héalú?' a d'fhiafraigh sé de Lugh.

Bhreathnaigh Lugh air go brónach.

'Tá sé an-deacair,' ar sé, 'beagnach dodhéanta, déarfainn féin. Caithfidh tú an "tú féin" eile seo a mhealladh le teagmháil a dhéanamh le scáthán–déanfaidh scáthán ar bith cúis–agus ansin, beidh tú in ann eisean a ghabháil mar a rinne seisean ortsa, agus é a tharraingt ar ais san áit seo. Ach, ar ndóigh, beidh seisean ag coinneáil glan amach ó gach aon scáthán ar fhaitíos go mbeadh tusa ar an taobh eile de! Tá mise tar éis a bheith ag iarraidh éalú leis na blianta,' a dúirt sé go héadóchasach.

'Ach cén chaoi is féidir liom a fháil amach cén áit a bhfuil sé?' a d'fhiafraigh Garraí ansin. Bhí cuma ghruama air agus é ag iarraidh an cás aisteach ina raibh sé a thuiscint.

Shín Lugh a lámh agus bhrúigh cnaipe beag a bhí ar an mballa. Go tobann, rinneadh scáileán mór den bhalla.

'Céard is ainm duit?' a d'fhiafraigh Lugh.

D'inis Garraí dó, agus bhuail Lugh na litreacha G - A - R - R - A - Í ar bhosca beag ag bun an scáileáin.

'Ansin,' arsa Lugh, 'ní bhíonn ach uimhreacha ag na Féin-neacha gránna seo, agus Féin a Sé a chuaigh amach i d'áitse.' Mar sin, bhrúigh sé cnaipe a sé–agus chonaic Garraí 'é féin'!

Faoin am sin, bhí Féin a Sé tar éis dul abhaile ón sorcas agus anois bhí sé i seomra leapa Gharraí.

'Hé, tá m'eitleán beag á bhriseadh ina smidiríní aige–agus tá sé tar éis mo chuid póstaer a tharraingt ón mballa!' a scread Garraí go feargach. Agus níos measa fós, ní raibh scáthán ar bith sa seomra, mar níor bhac Garraí riamh lena ghruaig a chíoradh ná rud ar bith mar sin, seachas nuair a chuireadh Mam iallach air. Is ea. Sin é an seans is fearr! Caithfeadh sé fanacht go maidin, agus a bheith ag súil go gcuirfeadh Mam Féin a Sé go dtí an scáthán. Ach oíche an-fhada mhíthaitneamhach a bheadh roimhe san áit seo!

Bhí Garraí ag faire go cúramach le linn d'Fhéin a Sé a bheith ag éirí an mhaidin dár gcionn–thabharfadh sé deis dó a chuid éadaigh a chur air féin; ansin bheadh sé ag dul síos staighre le haghaidh bricfeasta. Ach ó . . . ná habair é! Céard é seo? Shleamhnaigh Féin a Sé síos an staighre go rúnda sular éirigh duine ar bith eile; isteach sa chistin leis agus d'oscail doras an chuisneora. Bhí císte seacláide agus uachtar air sa chuisneoir–mmmm, chuir an radharc uisce le fiacla Gharraí. Chuimhnigh sé go tobann go mbeadh Máire Seosaimhín ag teacht le fanacht leo inniu. Seanchara scoile le Mam ab ea Máire Seosaimhín, agus bhí Mam tar éis a bheith gnóthach ag ullmhú le haghaidh a cuairte. Ach thóg Féin a Sé scian ón tarraiceán agus–Ó! ní hea!–ghearr sé píosa mór den chíste dó féin. Bhrúigh sé an t-iomlán isteach ina bhéal agus ghearr píosa eile ansin.

'Hé! Éirigh as! Níl cead agat do lámh a leagan air sin!' a scread Garraí. Ach, ar ndóigh, ní raibh aon mhaith ann.

Bhí Garraí in ann duine éigin a chloisteáil ag teacht anuas an staighre. Tá Mam ag éirí, ar sé, anois beidh sé ina raic. Ach chuala Féin a Sé na coiscéimeanna. Rug sé greim ar an gcuid eile den chíste, rith go dtí an cúldoras agus amach leis!

Lig Garraí osna as ar chúl an scátháin. Bhí an phraiseach ar fud na mias anois! Tháinig deora lena shúile, agus thriomaigh sé iad lena mhuinchille. Aisteach–bhí muinchillí a gheansaí bándearg! Ó, ná habair é!–Geansaí dearg a bhí á chaitheamh aige aréir, agus anois bhí sé bándearg! Bhí dath Gharraí á chailleadh aige agus é ag éirí liath cosúil le Lugh Liath. Ní fada go mbeadh sé ina Gharraí Gruama. Garraí Gruama–ha, ha, an-ghreannmhar. Ach ní raibh sé greannmhar, ní raibh. Ba gheall le tromluí é an chuid eile dá shaol a chaitheamh ar chúl an scátháin!

Lean Garraí Féin a Sé ar an scáileán ar feadh an lae. Bhí sé ag spraoi cois na habhann ar maidin. Bhí an mhaidin fliuch, agus taobh istigh de leathuair an chloig bhí a gheansaí dearg ina phraiseach agus bhí poll ina bhróga traenála. Sin iad mo bhróga traenála nua chomh maith, chuimhnigh Garraí go cráite.

Ansin chuaigh Féin a Sé go dtí an baile mór. Bhí ocras air faoin am seo. Chuaigh sé go dtí siopa sceallóg Mhario.

'Haigh, 'Gharraí,' arsa Mario, 'céard a bheas agat inniu?' D'ordaigh Féin a Sé pláta mór ispíní agus sceallóga–mmmm, bhí cuma bhlasta orthu. Shlog sé siar an t-iomlán ar luas lasrach; ansin fuair uachtar reoite millteanach mór–bhí Garraí ag fáil bháis leis an ocras agus é ag breathnú air. Ansin, d'éirigh Féin a Sé agus chuaigh sé chuig an doras. Bhí Mario sa taobh thall den chaife.

'Hé, a Gharraí, níor íoc tú!' a ghlaoigh sé amach. Rinne Féin a Sé gáire. Shín sé a lámh thar an gcuntar, thóg dhá bhuidéal cóc agus barra mór seacláide ón tseilf agus rith amach. Rith sé síos an tsráid agus Mario ina dhiaidh,

'Hé, a Gharraí! Tar ar ais!' Ó, a leithéid! Chuir Garraí a lámh thar a shúile . . .

Tar éis tamaillín bhreathnaigh sé trína mhéara. Cén áit a raibh Féin a Sé anois? Bhí sé ar an mbus, ar a bhealach abhaile. Shuigh Féin a Sé sa tosach; cóngarach dó bhí aghaidh a d'aithin Garraí–an Ghráinneog! An múinteoir Mata! Bhí Féin a Sé ag slogadh siar barra seacláide; chaith sé an páipéar a bhí timpeall air an urlár.

''Gharraí!' arsa an Ghráinneog go míshásta.

Agus céard a rinne Féin a Sé? Chas sé a dhroim leis an múinteoir, scaoil a bhrístí síos–agus thaispeáin a thóin nocht don Mháistir Ó Gráinne! Ó, ní féidir . . . ! Nochtadh tóna don Ghráinneog! Anois bheadh sé ina raic . . .

Bhí Máire Seosaimhín tagtha faoin am ar shroich Féin a Sé an baile. Bhíodh Garraí ag tnúth le cuairteanna Mháire Seosaimhín. Bean bharrúil í, agus í cineálta le Garraí i gcónaí–chuimhnigh sé go bhfuair sé deich bpunt uaithi an uair dheireanach a tháinig sí. Agus thugadh Máire Seosaimhín a cat, Brúnó, léi i gcónaí. Cat Siamach a bhí i mBrúnó; bhíodh bóna gorm á chaitheamh aige, agus théadh sí ar shiúlóid leis agus é ar éill aici. Cairde móra ab ea é féin agus Garraí. Nuair a tháinig Féin a Sé tríd an doras, ba é Brúnó a chéadtug faoi deara é. Bhí peataireacht faighte aige ó Mham agus ó Mháire Seosaimhín–anois bhí áthas air Garraí a fheiceáil. Chuaigh sé trasna agus thosaigh á chuimilt féin i gcoinne chosa Fhéin a Sé. Ach ní raibh súil ar bith le hiompar Fhéin a Sé. D'éirigh sé bán san aghaidh, chúlaigh sé, agus dhírigh cic fíochmhar ar thaobh an chait.

''GHARRAÍ!' a scread Mam agus Máire Seosaimhín in éindí agus uafás orthu.

Ach ní raibh eagla ar Bhrúnó. Bhí rud éigin as bealach anseo! Chuir sé a chosa i dtaca, chuir an fionnadh ina cholgsheasamh ar a chorp agus chaith seile ar Fhéin a Sé.

Ssssss! Chúlaigh seisean céim eile. Rinne Brúnó Ssssss! eile; ghlac Féin a Sé céim eile ar gcúl.

Go tobann, thug Garraí rug éigin faoi deara–thall ansin, cóngarach don doras tosaigh, cúpla troigh taobh thiar de Fhéin a Sé, bhí scáthán mór ar an mballa. Bhíodh sé de nós ag Mam iallach a chur ar Gharraí a chuid gruaige a chíoradh os a chomhair seo gach maidin roimh dhul amach–ach bhí an scáthán ar chúl Fhéin a Sé agus ní raibh sé in ann é a fheiceáil. Dá mbeadh Brúnó in ann Féin a Sé a bhrú siar cúpla orlach eile go dtí go mbeadh sé i dteagmháil leis an scáthán . . .

'Gabh i leith, 'Bhrúnó, gabh i leith, sin é, a bhuachaill, brúigh siar é, caith seile air!' a scread Garraí ar bharr a chinn agus a ghutha ar chúl an scátháin, cé go raibh a fhios aige go maith, ar ndóigh, nach bhféadfadh Brúnó focal a dúirt sé a chloisteáil.

Nuair a chuala Lugh Liath an gleo, tháinig sé anall chuig Garraí féachaint céard a bhí ar siúl, agus thosaigh seisean ag screadach chomh maith.

'Céim amháin eile! Gabh i leith, a Bhrúnó!' (Ach, ar ndóigh, ní raibh ach fuaim bheag chiúin ag teacht ó bhéal Lugh Liath mar bhí a ghuth ag lagú, mar a bhí an chuid eile de, de bharr é a bheith ar chúl an scátháin chomh fada sin.)

Faoin am seo, bhí Féin a Sé teanntaithe i bhfoisceacht céim amháin den scáthán. Bhí Mam agus Máire Seosaimhín ag breathnú ar Fhéin a Sé agus ar Bhrúnó agus iontas orthu, mar bhí a fhios acu gur thaitin ainmhithe le Garraí, agus ní raibh siad in ann a thuiscint cad chuige a raibh faitíos go tobann air roimh an gcat. Agus bhí Brúnó fiáin ar fad anois. Bhí Garraí ina sheasamh ar chúl an scátháin, agus é ar bís lena dheis a thapú–chomh luath agus a bheadh Féin a Sé i dteagmháil leis an scáthán bheadh air a bheith réidh lena tharraingt tríd agus léim amach é féin.

Ansin, tharla gach uile rud in éindí. Bhuail an fón, agus rith Mam lena fhreagairt. Ag an nóiméad céanna bhuail duine éigin cnag ar an gcúldoras, agus tharla Mam a bheith gnóthach, chuaigh Máire Seosaimhín féachaint cé bhí ann. Bhí Brúnó ag déanamh réidh le hionsaí a dhéanamh ar Fhéin a Sé . . . Léim sé! Chuimil droim Fhéin a Sé in aghaidh an scátháin! ÚISSSSSSSSSS!

Bhí Garraí ina shuí ar urlár an halla, a dhroim leis an doras tosaigh. Bhí sé tagtha tríd! Bhí sé sa bhaile! Mheas sé gur chuala sé guth lag éigin i bhfad i gcéin ag cogarnaíl, 'Go n-éirí leat, a Gharraí! Bí cúramach, a mhaicín!' Lugh Liath bocht–tá súil agam go n-éireoidh leis éalú sula i bhfad!

Agus, aisteach go leor, bhí an chuma ar Bhrúnó gur thuig sé go raibh athrú éigin tar éis tarlú. Bhí sé ullamh, ar feadh nóiméid, le hionsaí eile a dhéanamh. Ansin, luigh an fionnadh ar a dhroim ar ais go mín, agus thosaigh sé ag crónán agus á chuimilt féin i gcoinne chosa Gharraí.

Buíochas le Dia! Scaoil Garraí osna mhór faoisimh. Tharraing sé a lámh ar fhionnadh mín Bhrúnó; chas chuig a Mham, nuair a tháinig sí ar ais chuig an halla, agus rinne miongháire. Ach bhí cuma uafásach crosta ar Mham.

''Gharraí!' ar sí, an Máistir Ó Gráinne a bhí ar an bhfón! Tá sé ag rá go ndearna tusa rud éigin déistineach ar an mbus . . .'

Sula ndúirt sí níos mó tháinig Máire Seosaimhín ar ais ón gcúldoras, agus cuma aisteach ar a haghaidh. Taobh thiar di bhí beirt Ghardaí.

'Tá Mario ón siopa sceallóg tar éis clamhsán a dhéanamh faoi Gharraí. Dhiúltaigh sé íoc as a chuid bia agus ghoid sé rudaí ón gcaife . . .'

Bhreathnaigh Máire Seosaimhín ar Gharraí. Bhreathnaigh na Gardaí ar Gharraí. Bhreathnaigh Mam ar Gharraí.

'Bhuel, a Gharraí?'

Tháinig dath bán ar aghaidh Gharraí . . .

An Clog

'Cá mhéad uair a dúirt mé leat cheana é? Ná bí ag caitheamh na liathróide róchóngarach do na fuinneoga!' arsa Mam go cantalach, agus í ag breathnú ar an ngloine ar an talamh. 'Sin fuinneog an gharáiste briste agat anois —tús iontach don bhliain úr! Céard a bheas le rá ag Aintín Gráinne? Tá mé ag dul a choinneáil na liathróide seo go dtí go dtagann ciall chugat!'

Agus chas sí thart agus ar ais sa teach léi ag plabadh an dorais ina diaidh. Mhothaigh Aodh na deora á phriocadh. Fuair sé feisteas Man. United agus an liathróid nua óna thuismitheoirí le haghaidh na Nollag.

Ní ormsa an locht, ar seisean leis féin, go bhfuil an clós chomh sleamhain sin ar maidin–scior mo chos agus mé ag ciceáil na liathróide–timpiste ghlan. Agus ní ormsa an locht ach an oiread, lean sé, go raibh orainn teacht le haire a thabhairt d'Aintín Gráinne, ná gur seanbhitseach ise.

Ba sheanaintín de chuid mham Aodh í Aintín Gráinne. Bhí sí ina cónaí ar fheirm cóngarach d'Uachtar Ard agus Lá Fhéile Stiofáin thit sí agus bhris a cos. Ó tharla go raibh sí tar éis a bheith in achrann le gach uile dhuine eile sa chlann, ghlaoigh sí ar mham agus ar dhaid Aodha agus d'iarr orthu teacht le haire a thabhairt di. Agus ón nóiméad a tháinig siad, ní dhearna sí tada ach casaoid–faoin mbéile (a bhí 'rófhuar', dar léi), an leaba (a bhí 'róthe', dar léi), Aodh (a bhí 'róghlórach', dar léi) . . . Tá a fhios agam go bhfuil strus ar Mham, arsa Aodh, ach, ag an am céanna, níor ghá di an liathróid a thógáil uaim.

Chaith sé deich nóiméad nó mar sin ag fánaíocht thart faoin gclós, ach bhí sé ag éirí fuar mar gur deacair coinneáil te i bhfeisteas Man. United i lár an gheimhridh, nuair nach bhfuil liathróid le ciceáil agat.

'Céard a dhéanfaidh mé anois?' a d'fhiafraigh sé de féin. Chuaigh sé timpeall taobh an tí go dtí an doras tosaigh–bhí Mam sa chistin, agus ní raibh i gceist aige dul in aice léi go ceann tamaillín eile! Shleamhnaigh sé isteach an doras tosaigh agus é ag iarraidh smaoineamh ar áit éigin a bhféadfadh sé dul ar feadh leathuair an chloig, áit a bheadh compordach agus as an mbealach . . . agus chonaic sé an clog!

In aice an dorais a bhí an clog mór álainn ina sheasamh. Bhí Aodh faoi dhraíocht ag na dathanna áille ar aghaidh an chloig. Bhí pictiúr d'fhiach os cionn aghaidh an chloig–cúnna seilge, iad breac, liath agus bán, ag rith i ndiaidh an tsionnaigh trasna na ngarraithe agus na gcnoc glas. Faoi uimhir a dó dhéag bhí pictiúr de sheoid luachmhar dhearg, rúibín lonrach, a bhíodh ag glioscarnach san oíche faoin solas leictreach sa halla. Cheistigh Aodh Aintín Gráinne faoi stair an chloig uair amháin. Bhí aoibh níos fearr ná mar ba ghnách uirthi ag an am, agus seo an scéal a d'inis sí dó.

'Ó, tá an seanchlog sin againn leis na glúine agus is fiú na céadta punt anois é. Is beag eolas atá agam faoin stair a bhaineann leis, ach is cuimhin liom mo sheanathair in Uachtar Ard ag insint scéal éigin faoi oibrí de chuid na feirme ag dul amach agus ag dul ar meisce oíche Shathairn éigin. Ní raibh duine ar bith in ann teacht air an mhaidin dár gcionn agus chuaigh gach uile dhuine á lorg siar agus aniar trí na garraithe agus faoi na claíocha. Ansin, thart ar lár an lae, d'oscail doras an chloig agus cé a tháinig amach ach Dic, tar éis dó a bheith ina chodladh go sámh–Dic an Luascadáin a tugadh air riamh ó shin!'

Céard a dhéanfaidh mé, arsa Aodh leis féin, bheadh sé seafóideach fiú amháin smaoineamh ar dhul isteach sa chlog. Mar sin féin–tuige nach ndéanfainn–rachaidh mé isteach sa chlog agus fanfaidh mé ann go dtí am lóin. Beidh mé in ann gach uile shórt atá ag dul ar aghaidh a chloisteáil ón áit sin! Mar sin, isteach leis–agus cé go raibh sé beag, bhí air a ghlúine a lúbadh suas lena smig, beagnach, le suí istigh sa chlog. Bhí sé go breá teolaí anseo faoi theas lárnach an halla tar éis an fhuachta amuigh. D'éist sé le fuaimeanna an tí–a mham ag húbharáil sa chistin, coirm cheoil éigin don Bhliain Úr á craoladh ar Raidió na Gaeltachta. D'éirigh a shúile marbh leis an tuirse agus thit sé ina chodladh . . .

Dhúisigh sé go tobann agus é ag ceapadh gur chuala sé guth ag glaoch air. Brrr . . . mhothaigh sé aer fuar ar a ghéaga. An taobh amuigh in áit éigin a bhí sé? Ba ea! Bhí glór na n-éan le cloisteáil, fuaimeanna bhreacadh an lae. Bhí ceo fuar na maidine ag scaipeadh, agus go tobann, bhí cruth le feiceáil os comhair Aodh amach agus é ag gluaiseacht ina threo.

'An bhfuil tú ag teacht nó nach bhfuil?' arsa an guth. Ba bheag nár léim Aodh as a chraiceann. Ansin, os a chomhair, bhí sionnach rua, álainn.

'Gabh mo leithscéal–céard a dúirt tú?' arsa Aodh go héiginnte. 'An bhfuil mé ag teacht cén áit?'

'Fág seo,' arsa an sionnach, é beagán mífhoighneach, 'tá na sealgairí agus na cúnna sa gharraí taobh linn. Céard faoi bheagán spóirt agus spraoi a bheith againn agus rás a dhéanamh leo? Céard a cheapann tú?'

Bhí cloigeann Aodha trí chéile–bhí sé ina sheasamh i ngarraí beag agus sionnach taobh leis, agus ar an taobh thall den chlaí sa chéad gharraí eile bhí tafann corraithe na gcúnna seilge agus béiceach na sealgairí ar a chéile le cloisteáil. Chas an sionnach le breathnú air agus mheas Aodh go raibh críonnacht ina shúile.

'Má ligeann muid do na cúnna muid a fheiceáil, is féidir rás a bheith againn leo agus iad a mhealladh na mílte trasna na ngarraithe, ansin imeacht as radharc go tobann, agus iad a fhágáil ar ár lorg. Is maith liom é sin a dhéanamh sa chéad fhiach gach uile bhliain–cuireann sé sean-Drannaire, an príomhchú, as a mheabhair! Bíonn an seanchú céanna gránna leis na cúnna óga, agus is deas a bheith in ann seans a thabhairt dóibh a bheith ag magadh faoi anois is arís.'

'Ach cén chaoi is féidir linn a bheith cinnte go n-éalóimid?' a d'fhiafraigh Aodh go héiginnte. 'Céard a tharlóidh má éiríonn muid tuirseach?'

'Ná bí buartha,' arsa an seansionnach, 'tá a fhios agam áit nach n-éireoidh leis na cúnna teacht orainn go brách.'

Mar sin, rud a chuir iontas air féin, d'aontaigh Aodh rith in éineacht leis an sionnach amach roimh chúnna seilge Uachtar Ard.

'Ar aghaidh linn!' a ghlaoigh an sionnach, agus rith sé go dtí poll sa chlaí chun é féin a thaispeáint go soiléir do na cúnna seilge. Bí ag caint ar ghleo! Séideadh an adharc seilge–rinne na cúnna tafann uafásach–rith gach uile cheann acu mar a bheadh aon chú amháin ann go dtí an poll sa chlaí, agus cú gránna, agus colm mór óna chluas go dtí a shrón, chun tosaigh orthu. Ní raibh seans ag Aodh a anáil a tharraingt. Thug sé do na boinn é; níor rith sé chomh gasta riamh cheana–cheapfá go raibh eiteoga ar a chosa–trasna garraithe, trí chlaíocha, trí shráidbhaile éigin, agus ansin, isteach i gcoill dhlúth. Faoin am sin bhí na cúnna ba ghaiste chun tosaigh ar na cinn a bhí ag éirí sean nó a bhí ró-óg le bheith in ann díriú go maith ar an tseilg. Theip ar chú beag amháin an claí a léim; thug a máistir buile dá fhuip do bhitseach bheag aon bhliain d'aois nuair a chas sí ar leataobh le bheith ag imirt. De réir a chéile, bhí Drannaire agus na cúnna ba láidre ag breith ar Aodh agus ar an sionnach, agus bhí an bheirt acu in ann an talamh faoina gcosa a mhothú ag creathadh agus na capaill ag teacht trasna na ngarraithe chucu sna cosa in airde.

'Tá siad ag breith orainn,' a ghlaoigh Aodh leis an sionnach. Is ar éigean a bhí sé in ann a anáil a tharraingt faoi seo agus mhothaigh sé an fhuil ag bualadh ina chluasa.

'Ná bí buartha!' arsa an sionnach, agus bhí gearranáil air féin. 'Tá muid beagnach ann! Anseo!'

Shleamhnaigh an bheirt acu trí raithneach ard dhlúth a chúb siar uathu agus iad ag dul tríthi agus a dhún arís ina ndiaidh. Go tobann, bhí eas le feiceáil agus is beag nár bháigh gleo an uisce fuaim na sealgairí a bhí ina ndiaidh. Chuaigh an sionnach isteach faoi chuirtín an uisce agus Aodh sna sála aige. Ansin, os a chomhair amach, chonaic Aodh carraig mhór dhorcha–agus chuaigh an sionnach díreach isteach inti! Isteach le hAodh ina dhiaidh go dtí pluais bheag dhorcha. Bhí béal na pluaise caol, agus bhí orthu siúl trí phoill d'uisce tanaí ar an mbealach isteach–ar ndóigh, rith sé le hAodh–'Ní bheidh na cúnna in ann ár mboladh a leanúint anois ar chor ar bith.' Isteach leo níos faide ar sheilf charraige go dtí gur shroich siad pluais eile i mbroinn na talún. Sheas an bheirt ar feadh soicind agus chuir Aodh a dhroim le balla na pluaise agus é ag análú go trom. Bhí siad slán sábháilte!

'Bhuel,' arsa an sionnach go gearánach, 'b'in iad na cúnna ba ghaiste riamh! Caithfidh go bhfuil mé ag dul in aois! Ach beidh muid go breá anseo! Ní thiocfaidh siad orainn go brách anseo sa phluais.'

Agus, ceart go leor, bhí Aodh in ann tafann fiáin na gcon a chloisteáil i bhfad i gcéin, ach chiúnaigh siad de réir a chéile nuair nárbh fhiú dóibh a bheith ag lorg an tsionnaigh. Bhreathnaigh Aodh mórthimpeall agus chonaic poll beag i gcúl na pluaise a bhí ag dul níos faide isteach faoin gcarraig.

'Céard tá ansin?' a d'fhiafraigh sé den sionnach go fiosrach. 'An bhfuil cead agam dul ag breathnú?'

'Is í seo,' arsa an sionnach go sollúnta, 'pluais na taisce. Bhíodh m'athair agus a athair eisean, agus glúine de shionnaigh Uachtar Ard, ag éalú ó chúnna na seilge go dtí an phluais seo. Is í seo ár bpluaisne leis na cianta mar is muide cosantóirí na taisce. Is féidir leat an taisce a fheiceáil, ach ná cuir lámh uirthi, nó . . .'

Chaith Aodh sracfhéachaint isteach sa phluais thall agus leath a shúile air. Chuaigh sé isteach níos faide tríd an bpoll–agus ansin, os a chomhair, bhí radharc dochreidte! Bhí cairn de sheoda luachmhara a raibh gach dath agus gach cruth faoin spéir orthu ag glioscarnach feadh bhallaí na pluaise caoile–seoda dearga, gorma, glasa, corcra agus gach dath eile faoin spéir–cuid acu ar mhéid chlocha duirlinge agus cuid eile a bhí millteanach mór. Agus istigh ina lár, agus í go hálainn agus ag glioscarnach níos gile ná aon cheann eile, bhí cloch mhór dhearg–bhí Aodh cinnte go raibh sé tar éis an ceann sin a fheiceáil cheana in áit éigin . . . Bhog sé chun tosaigh lena mhothú.

'Ná déan sin!'

Sheas Aodh ina staic agus chas thart, agus iontas air, le breathnú ar an sionnach.

'Tá an taisce seo,' arsa an sionnach, 'tar éis a bheith san áit seo leis na céadta bliain, agus dúirt m'athair go mbíodh a athair eisean ag rá:

Má thógtar an taisce ón bpluais seo thiar,
Ruaigfear sionnaigh Uachtar Ard ar fad as an tír.

Mar sin, ná bain leis an gcloch. Anois, ar aghaidh linn, a Aodh, caithfimid brostú chun an bealach amach a shroicheadh roimh an diabhal Drannaire sin!'

Agus d'imigh an seansionnach ar aghaidh leis ar an bpointe. Thosaigh Aodh á leanacht, ach chas sé le breathnú ar an taisce uair amháin eile. Mhothaigh sé tarraingt ar leith maidir leis an gcloch dhearg. Ní chreidfeadh cara ar bith dá chuid an scéal nuair a d'inseodh sé an eachtra dóibh–ach, dá mbeadh cloch aige le taispeáint dóibh . . . ach dúirt an sionnach gan baint leis an taisce . . . muise, ní dhéanfadh cloch amháin difríocht ar bith . . . i bpreabadh na súl bhí an rúibín dearg i bpóca Aodha, agus bhí seisean ag rith ar a dhícheall i ndiaidh an tsionnaigh go dtí an bealach amach as an bpluais.

'Tá go maith!' arsa an sionnach. 'Rithfimid amach as seo anois agus nuair a shroichfimid lár an gharraí is cinnte go bhfeicfidh na cúnna muid. Beidh orainn é a thabhairt do na boinn thar an gcnoc sin thall go dtí an abhainn, agus beidh muid sábháilte ansin. Tá mise tar éis é a dhéanamh gach uile Lá Caille le sé bliana agus níor éirigh leo riamh teacht cóngarach dom! An bhfuil tú réidh? Anois!'

Amach leis an mbeirt acu ar an bpointe tríd an gcoill bheag, agus a luaithe a tháinig siad amach as scáileanna na coille agus i radharc na seilge, thosaigh tafann agus glamanna na gcúnna arís.

Rith an bheirt ar nós na gaoithe–ach bhí na cúnna ag teacht suas leo, céim ar chéim . . . Ní raibh Aodh in ann análú ar chor ar bith . . . mhothaigh sé a chroí ag bualadh go hard ina chliabhrach . . .

'Tá . . . siad . . . ag buachan orainn!' ar sé leis an sionnach, agus é rite go hiomlán as anáil.

'Níl a fhios agam . . . tá rud éigin do mo choinneáil siar . . . ÁÁÁÁÁÁÁ!!'

Chuala Aodh scread uafásach agus tafann ard, gránna, caithréimeach. Chaith sé a shúil siar agus chonaic na cúnna ag stracadh rud éigin, chonaic sé na sealgairí ag gáire agus ag béicíl go callánach, chonaic sé fuil i ngach áit. Bhí feadaíl ina chluasa faoi seo agus é dallta ag deora. Rinne sé iarracht mhór amháin eile–agus chuaigh gach uile rud i ndorchadas . . .

'Agus sin é deireadh Choirm Cheoil na Bliana Úire ó Ard Eaglais Chríost, Baile Átha Cliath. Ar ais linn anois chuig Máirín sa stiúideo.'

Rinne Aodh iarracht seasamh–ach bhuail a chloigeann go pianmhar i gcoinne rud éigin crua agus chonaic sé réaltaí os comhair a shúl. Tháinig léaspáin ar a shúile agus dorchadas iomlán–ach ní hea, bhí líne thanaí solais le feiceáil agus í ag leathnú agus an doras ag oscailt nuair a bhrúigh Aodh ina choinne. Doras? . . . doras fada caol . . . doras an chloig! An clog mór . . . go tobann, chuimhnigh sé ar an liathróid . . . an fhuinneog ina smidiríní . . . an sionnach . . . an phluais . . . an chloch dhearg! Chuardaigh Aodh ina phóca. An raibh an chloch luachmhar ann? Bhuail a lámh ar rud éigin fuar, garbh, crua.

Tharraing Aodh é féin amach as an gclog mór go ciotach.

'Bhuel, 'Aodh, sin an áit ina raibh tú! Tá mé tar éis a bheith do do chuardach!'

Is cosúil go raibh aoibh níos fearr ar a mháthair faoi seo mar, ar sí, agus greann ina súile, 'B'fhéidir go raibh mé ró-chrua ort ar maidin. Tar éis an tsaoil, seo Lá Caille agus tá saoire na Nollag ann i gcónaí. Gabh i leith, beidh béile beag againn gan mhoill, Daid, tusa agus mé féin!'

'Ach céard faoi Aintín Gráinne?' a d'fhiafraigh Aodh agus iontas air.

'Ó,' arsa Mam, ag caochadh súile go magúil, 'Tá Aintín Gráinne tar éis glaoch ar a dilchara agus tá sise tar éis a thairiscint go dtiocfaidh sí le fanacht léi go dtí go mbeidh sí níos fearr. Tá mé ag ceapadh go raibh imní ar Aintín Gráinne go mbrisfeá na fuinneoga ar fad dá bhfanfaimis.' Agus chaoch sí a súil arís. Rinne Aodh agus a mham miongháire lena chéile gan focal eile a rá–thuig siad a chéile go maith.

'An raibh tú i do chodladh, mar sin?' a d'fhiafraigh Mam.

Chuimhnigh Aodh go tobann ar a eachtra agus ar sé go corraithe: 'Chonaic mé sionnach a bhí in ann labhairt, agus pluais taisce Uachtar Ard agus . . .'

Ach bhí a mham ag gáire. ''Aodh, a stór,' ar sí, 'is ag brionglóideach a bhí tú–an iomarca turcaí agus traidhfil agus cáca Nollag aréir, gan amhras.'

'Ach, a Mham,' thosaigh Aodh, 'tá an chloch dhearg agam . . .' Agus tharraing sé an chloch as a phóca. Ach d'aithin sé ar an bpointe nach é an rúibín a bhí ina lámh, ach seanchloch gharbh éigin ar a raibh rian dearg dorcha meirgeach. Stán sé uirthi agus é trí chéile–bhí cuimhne mhaith aige ar an rúibín a phiocadh suas agus é a chur ina phóca.

'Gabh i leith, a stóirín,' arsa a mham, agus í ag dul go dtí an chistin. 'Beidh Daid ar ais ar an bpointe agus beidh béile againn–bhí sé sa siopa sceallóg in Uachtar Ard, ar mhaithe le hathrú ón turcaí gach uile lá. Agus ansin, abhaile linn.'

Thosaigh Aodh á leanacht, ach ansin, bhreathnaigh sé siar ar aghaidh an chloig mhóir—bhí an rúibín imithe! Bhreathnaigh sé arís agus ní raibh an sionnach ann ach an oiread, ní raibh ann ach na cúnna seilge, agus cú gránna éigin agus miongháire cruálach ar a aghaidh á dtreorú! Chuimil sé a shúile, agus é á dhéanamh sin, bhog sé an chloch óna lámh dheas go dtí a lámh chlé. Agus fágadh marc dearg ar a lámh dheas . . . marc dearg meirgeach. Go tobann thuig Aodh gur fuil a bhí sa mharc dearg . . . fuil—fuil an tsionnaigh! Dá mbeadh seisean, Aodh, tar éis an taisce a fhágáil sa phluais—chuala sé guth an tseansionnaigh ag aithris:

> Má thógtar an taisce ón bpluais seo thiar,
> Ruaigfear sionnaigh Uachtar Ard ar fad as an tír.

Eisean, Aodh, a bhí freagrach as bás an tsionnaigh . . .

Chuala sé carr ag teacht isteach sa chlós agus tháinig a Dhaid isteach sa chistin leis na sceallóga. Ar sé, le Mam, 'Chonaic mé seilg agus mé ar an mbealach abhaile anois beag—bhí na cúnna tar éis greim a fháil ar sheansionnach, agus bhí na sealgairí go léir ag béicíl agus na cúnna ag tafann—tá siad tar éis a bheith ar a thóir eisean leis na blianta, is cosúil, ach, go dtí an lá inniu, bhí sé róchliste dóibh.'

Pléasc! Chaith Aodh an chloch óna lámh agus bhuail aghaidh an chloig go díreach ar shrón an chú a raibh an miongháire gránna ar a smut! Bhris an ghloine ina smidiríní agus, ar an bpointe, rith dhá phéire cos ón gcistin go dtí an halla.

''Aodh! Céard in ainm Dé atá á dhéanamh agat anois? Breathnaigh ar an gclog–clog Aintín Gráinne!'

Rith Aodh tharstu go dtí an chistin agus deora ag sileadh síos ar a leicne. Agus é ag cuimilt a shúl lena lámha fuilteacha, tháinig dath dearg ar a leicne agus ar na deora . . .

Mallacht Mharcuis

Bhí na focail ag lonrú ar an scáileán i scríobh glas, gorm agus dearg:

LEATHANACH SCOIL PEN Y BRYN
Cliceáil ar an luchóg anois
le tuilleadh eolais a fháil.

'Go breá,' arsa Mr Jones, an máistir. 'Bhíos ag obair air ag an deireadh seachtaine le leathanach baile na scoile a chur ar an idirlíon. Anois caithfidh sibhse smaoineamh ar rudaí suimiúla le cur air–an bhfuil smaoineamh ag duine ar bith?'

'Bó-ring!' Taispeántas Alan lena bhéal mór: rinne an máistir neamhshuim de.

'Tá smaoineamh agamsa!' arsa Mailí de chogar. 'Inseoidh mé cé a chonaic mé in éineacht le Nan Huws oíche Shathairn!' Í féin agus a cairde ag briseadh a gcroí ag gáire agus a lámha thar a mbéal acu á cheilt; bhreathnaigh an máistir orthu go crosta.

Ach bhí Tomás an-chorraithe. B'as Éirinn do Thomás ach bhí a athair tar éis bogadh chun na Breataine Bige tamall roimhe sin chun a ghnó féin a fhorbairt. Bhí Tomás ag freastal ar Scoil Pen y Bryn agus é an-sásta inti. Bhí na mílte smaointe ag rith trína intinn. Thaitin na ranganna Theicneolaíocht an Eolais leis an Máistir Jones leis, mar thug siad seans dó úsáid a bhaint as ríomhairí na scoile.

Bhí an-scil ag an máistir sna ríomhairí. Nuair a chuaigh siad ar ais ar scoil tar éis shaoire na Cásca, d'fhógair sé go raibh an scoil le ceangal leis an Idirlíon, agus go mbeadh deiseanna de gach cineál ar fáil dóibh! Bhí daoine ar fud an domhain in ann teagmháil a dhéanamh le chéile ar an Idirlíon agus bheadh daltaí Scoil Pen y Bryn in ann labhairt le gasúir i dtíortha thar lear ar a gcuid ríomhairí, nó eolas a lorg faoi rud ar bith ba mhian leo!

Ar ndóigh, ba í Nerys an chéad duine a raibh a lámh in airde aici.

'Céard ba mhaith leatsa a chuirfimis ar leathanach baile na scoile?' a d'fhiafraigh an máistir go sásta.

'D'fhéadfaimis torthaí Eisteddfod na Scoile a chur air,' arsa Nerys, lán di féin. Ise a bhí tar éis gach comórtas ina rang féin a bhuachan–amhránaíocht, aithriseoireacht, scríbhneoireacht, rince–agus bhí sí ag iarraidh a bua a fhógairt don domhan mór!

Chas Mr Jones chuig Alan a bhí tar éis a bheith ag déanamh aithrise ar fhear meisce ag urlacan le linn do Nerys a bheith ag caint.

'Is ea . . . is ea . . . Go raibh maith agat, a Alan. An bhfuil rud ar bith ciallmhar le rá agat? Céard ba mhaith leatsa a chur ar an leathanach–cad iad na nithe a bhfuil spéis agatsa iontu?'

'Ní thuigim ríomhairí agus a leithéid,' arsa Alan go giorraisc.

'Bíonn tú ag canadh i bpopghrúpa, nach mbíonn?' lean an máistir ar aghaidh. 'An bhfuil a fhios agat, a Alan, bheadh pictiúirí agus gach cineál eolais faoi ghrúpaí a bhfuil clú agus cáil orthu, ar nós Oasis, ar an Idirlíon.'

Bhí iontas ar Alan; las a shúile. 'Cúúúúl!'

Ansin, faoi dheireadh, thug an máistir faoi deara go raibh Tomás níos díograisí ná aon duine eile agus a lámh in airde aige.

'Tá go maith, a Thomáis,' ar seisean agus miongháire ar a aghaidh aige. 'Céard iad na smaointe atá le tairiscint agatsa dúinn?'

'Bhí mé ag ceapadh,' arsa Tomás, agus é ag brú a spéaclaí siar ar a shrón, 'go bhféadfadh gach uile dhuine againn a phíosa beag féin a scríobh, ag rá céard iad na nithe a bhfuil spéis againn iontu, agus ansin, d'fhéadfadh daltaí ó scoileanna eile teachtaireachtaí a chur ar ais chugainne . . .'

'An-smaoineamh, a Thomáis!' a dúirt an máistir, ag aontú leis. 'Tusa, a Alan, d'fhéadfása scríobh faoin bpopghrúpa is fearr leat, agus a Nerys–d'fhéadfása a bheith ag caint faoi na comórtais san Eisteddfod. Agus feicfimid céard iad na freagraí a thiocfaidh. Mar sin, sin agaibh bhur gcuid obair bhaile anocht–teachtaireacht ghairid a chumadh le cur ar leathanach baile na scoile ar an Idirlíon.'

A luaithe is a d'fhógair an clog deireadh an lae scoile, rith Tomás abhaile. Bhí an t-árasán ina raibh sé féin agus a athair ina gcónaí timpeall leathmhíle ón scoil. Chas sé an eochair sa doras, isteach leis agus anonn caol díreach go dtí a sheomra chun tús a chur lena phíosa do leathanach baile na scoile.

Ní bheadh Tomás ag tagairt do phopghrúpaí ná d'aisteoirí scannán ná do réaltaí peile–ní bheadh, bhí a chuid spéiseanna eisean éagsúil ar fad.

Bhí Tomás agus a Dhaid tar éis a bheith i Londain le linn na saoire agus chaith siad lá iomlán san Iarsmalann Náisiúnta. Chonaic siad iarsmaí ón Éigipt a bhain leis na mumaithe agus rudaí as uaigheanna san Éigipt agus na scríbhinní Éigipteacha a thaitin le Daid. Ach an áit ba mhó a chuir Tomás faoi dhraíocht an seomra mór ina raibh léiriú faoi stair na Rómhánach–na colúin arda, na mósáicí áille ildaite agus iarsmaí eile na tréimhse sin.

Ina dhiaidh sin thosaigh sé ag léamh faoi stair na Rómhánach agus faoi na hiarsmaí a bhí nochta ag seandálaithe sa Bhreatain Bheag.

D'fhoghlaim sé faoi na bóithre díreacha a rinne siad agus faoi na campaí móra a thóg siad le go bhféadfadh a gcuid saighdiúirí an tír mórthimpeall orthu a ionsaí. Bhí sé ar intinn ag Tomás Laidin a fhoghlaim nuair a bheadh deis aige, agus bhíodh sé ag bailiú scríbhinní Laidine, is é sin, focail Laidine a bhí greanta ar chlocha, le cur lena chuid eolais.

Tá seo iontach, ar sé leis féin, is féidir liom ceist a chur ar an Idirlíon faoi scríbhinní Laidine. Is féidir liom iarraidh ar dhaoine scríbhinní ó iarsmaí Rómhánacha a chur chugam. Rinne Tomás machnamh fada faoin teachtaireacht a chuirfeadh sé ina mhír féin don Idirlíon agus, faoi dheireadh, seo an méid a scríobh sé . . .

Is mise Tomás agus tá mé trí bliana déag d'aois. Tá spéis mhór agam i stair na Rómhánach agus in iarsmaí Rómhánacha sa Bhreatain. Má tá iarsmaí Rómhánacha san áit a bhfuil tusa i do chónaí, ba mhaith liom cloisteáil uait, agus tá mé ag déanamh bailiúcháin de scríbhinní Laidine chomh maith.

Amach leis chun na scoile go díograiseach an mhaidin dár gcionn. Bhí sé ag tnúth lena phíosa a chlóscríobh ar leathanach na scoile ar an Idirlíon.

Mata an chéad rang agus thaitin Mata le Tomás de ghnáth; ach ní raibh a aird ar chéatadáin ná ar chodáin inniu agus níor éirigh sé as a bhrionglóideach faoi bheith i dteagmháil le daoine ar fud an domhain ar an ríomhaire le tabhairt faoi na ceisteanna a fhreagairt i ndáiríre, go dtí gur bhagair Miss Davis go gcoinneodh sí aon duine nach raibh a chuid oibre críochnaithe aige istigh am lóin! Faoi dheireadh, bhuail an clog, agus bhí rang eile anois acu le Mr Jones.

'Ní mór daoibh bhur n-ainmneacha a chur ag barr bhur gcuid teachtaireachtaí,' a dúirt an máistir, 'le go mbeadh duine ar bith a bheadh ag iarraidh freagra a chur in ann é a sheoladh díreach chugat. Má bhíonn daoine ag iarraidh teachtaireachtaí a chur ar ais chugainn, beidh siad á gcur tríd an bpost leictreonach nó tríd an r-phost, agus is é seoladh na scoile scoilpenybryn@caer.ac.uk–cuimhnígí go gcaithfidh sibh na poncanna a bheith san áit cheart agaibh sa seoladh. Tá mé tar éis a shocrú go mbeidh sibh in ann bhur dteachtaireachtaí a chlóscríobh. Anois, Nerys . . .'

Scaoil Tomás osna uaidh. Chomh cinnte le Dia,

bheadh Nerys ann ar feadh i bhfad le teachtaireacht leadránach éigin.

'Ní gá, a mháistir' arsa Nerys go bogásach, 'seo dhuit mo theachtaireacht ar dhiosca'.

'An-mhaith, a Nerys,' arsa an máistir agus miongháire ar a aghaidh.

'An chéad duine eile–Alan . . .'

'Ó, tá brón orm, a mháistir, ní raibh an t-am agam aréir . . .'

Tháinig grainc in áit an mhiongháire ar an máistir. 'Ní hé seo an chéad uair ar theip ort d'obair bhaile a dhéanamh, a Alan–labharfaidh mé leat ag deireadh an ranga.' Bhreathnaigh sé ar a liosta arís. 'Is é an chéad ainm eile . . . Tomás.'

Iontach! Léim Tomás as a shuíochán mar a léimfeadh piléar as gunna. Sall leis go dtí an ríomhaire a bhí ag glioscarnach go fáiltiúil sa chúinne thall. Deich nóiméad níos déanaí bhí a theachtaireacht ar an Idirlíon, áit a bhféadfadh duine ar bith sa tír–nó ar domhan fiú–í a léamh agus freagra a chur chuige.

Ní bheadh rang eile acu leis an Máistir Jones go ceann seachtaine, agus ní raibh a fhios ag Tomás cén chaoi a bhféadfadh sé fanacht chomh fada sin féachaint an raibh aon duine tar éis freagra a chur chuige. Ach, oíche Chéadaoin, d'éirigh leis fístéip faoi na Rómhánaigh a fháil ar iasacht ón leabharlann. Bhí iontas air nuair a chonaic sé na seaniarsmaí ar fad . . . shamhlaigh sé an cineál saoil a bhí ann nuair a bhí na Rómhánaigh ag rialú an domhain. An Róimh! B'aoibhinn leis dul chun na cathrach áille sin. Bhreathnaigh sé ar an bhfístéip arís agus arís eile. Bhí a dhóthain faighte ag Daid faoi oíche Dhomhnaigh agus ar sé, 'Is iontach nach bhfuil poll déanta agat san fhístéip sin agus tú ag breathnú uirthi gan stad, tá gach uile fhocal de de ghlanmheabhair agam! Ar son Dé, tóg ar ais chuig an leabharlann í agus faigh scannán de chuid Star Wars nó rud éigin spéisiúil mar sin!'

Ní raibh aoibh rómhaith ar Dhaid mar bhí sé ag aistriú a ghnó go dtí ceann de na haonaid nua san Ionad Fiontar sa bhaile ba ghaire dóibh, agus bhí sé tar éis teachtaireacht a fháil Dé hAoine ag rá go rabhthas tar éis an tógáil a stopadh de bharr faidhbe éigin. Bhí Daid tar éis an deireadh seachtaine ar fad a chaitheamh ar an bhfón ag iarraidh teacht ar stiúrthóir an chomhlachta tógála, ach bhí teipthe air.

Maidin Dé Luain, i ndiaidh sheirbhís na maidine, ghlaoigh an Máistir Jones i leataobh ar Thomás agus ar sé, 'Téigh go dtí Seomra na Ríomhairí am lóin. Tá duine éigin tar éis freagra a chur chugat.'

Bhuel! Bí ag caint ar mhaidin fhada! Dar leis nach gcríochnódh an rang corpoideachais go deo! Bhí na buachaillí sa rang ag imirt peile agus bhí Tomás ina chúl báire dá fhoireann, ach tar éis dó an t-ochtú cúl a scaoileadh isteach, tháinig an máistir a bhí i mbun an chluiche ar an tuairim go gcaithfidh go raibh Tomás tinn agus chuir sé ar ais chuig an seomra feistis é roimh an deireadh. Mar sin, bhí sé ullamh le rith go dtí Seomra na Ríomhairí a luaithe a bhuail an clog.

Bhí sí ann, mar theachtaireacht!

Tomás<scoilpenybryn@caer.ac.uk> Bhí mé sa Róimh i mbliana, agus tá sí go hiontach. An maith leat an Colosseum? An dtaitníonn an scoil leat?

Bheadh suim agam cloisteáil faoi na hábhair atá agat. Vale, Marcus.

Bhí rud amháin ann nár thuig an Máistir Jones.

'Tá sin aisteach. Níl aon seoladh ag Marcus—an-aisteach. Caithfidh tú teachtaireacht a chur ar ár leathanach baile mar a rinne tú cheana ag súil go léifidh Marcus í—ní féidir linn teachtaireacht a chur díreach chuige.'

Bhí díomá ar Thomás ach shocraigh sé ar an dara teachtaireacht a chur—bhí sé cinnte, ar bhealach, go ndéanfadh Marcus teagmháil leis arís. Mar sin, chlóscríobh sé teachtaireacht eile.

Teachtaireacht ó Thomás do Mharcus. Ba mhaith liom dul go dtí an Róimh am éigin. An bhfuil tusa ag foghlaim na Laidine? Cén áit a bhfuil cónaí ort agus cén scoil ina bhfuil tú? Agus lean sé air, ag cur síos ar an scoil agus ar na hábhair a bhí á bhfoghlaim aige. Chríochnaigh sé le, 'Vale, Tomás,' agus bhí sé an-sásta leis féin ag rá slán i Laidin mar a dhéanadh na Rómhánaigh fadó. N'fheadar an bhfaigheadh sé freagra an t-am seo?

Ní raibh air fanacht i bhfad. Tháinig freagra thar oíche!

Tomás<scoilpenybryn@caer.ac.uk> Ní bhím ag dul ar scoil anois. Níor thaitin an scoil liom, agus dúirt m'athair nach raibh mé ag foghlaim go leor agus nach raibh sé i gceist aige íoc aisti feasta. Bhí an máistir cruálach, bhuaileadh sé duine éigin gach uile lá, agus bhí sé pianmhar, mise á rá leat! Bhíodh orainn an aibítir a rá ó thús go deireadh agus ansin ón deireadh go dtí an tús. Uaireanta bhíodh orainn leathchéad líne filíochta a fhoghlaim de ghlanmheabhair, agus iad a athris an lá dár gcionn. Sin a bhfuil inniu—tá baol anseo—ainmhithe móra fiáine agus gleo cosúil le toirneach . . .

Léigh Tomás agus an Máistir Jones an teachtaireacht le chéile agus iontas orthu, agus nuair a tháinig siad go dtí an abairt dheiridh, bhreathnaigh siad ar a chéile. Céard faoin spéir ba bhrí le 'ainmhithe móra fiáine agus gleo cosúil le toirneach?'

'Meas tú an bhféadfadh Marcus a bheith ina chónaí cóngarach don zú?' a d'fhiafraigh Tomás. Ach ansin, bhuail smaoineamh nár thaitin leis é; 'An bhfuil duine éigin ag imirt cleas orainn, a Mháistir? Duine de na daltaí?'

Bhreathnaigh an Máistir ar an teachtaireacht go cúramach.

'Ní hea, tá mé cinnte gur teachtaireacht cheart í seo, ach ní fheicim seoladh ar bith fós–níl a fhios agam cá has a bhfuil Marcus ag seoladh a theachtaireachtaí. An gcuirfidh tú freagra eile–ní bhfuair aon duine eile sa rang freagra ar a gcuid míreanna ar leathanach baile na scoile.'

'Scríobhfaidh mé teachtaireacht anocht,' a gheall Tomás.

'Tar isteach chugam am lóin amárach agus beidh tú in ann í a chur ar an ríomhaire,' arsa an Máistir. Bhí sé chomh díograiseach le Tomás chun tuilleadh a chloisteáil ó Mharcus–ach ní raibh sé in ann a thuiscint ar chor ar bith cá has a raibh na teachtaireachtaí ag teacht.

Nuair a chuaigh Tomás abhaile an oíche sin, bhí sé ar bís ag iarraidh an dara teachtaireacht ó Mharcus a phlé lena dhaid. Ach níor chuir Daid mórán spéise inti. Bhí éirithe leis a fháil amach céard iad na deacrachtaí a bhain le tógáil na n-aonad gnó san Ionad Fiontar.

'Tá na seandálaithe ag rá go gcaithfear cead speisialta a fháil chun tógáil ar an suíomh,' ar sé, 'de bhrí gur suíomh é a bhfuil tábhacht stairiúil ag baint leis–tá siad tar éis teacht ar roinnt seanchnámh ann. Tá brón orm go gcaithfear cibé coirp a bhí curtha ann a bhogadh–ach caithfidh mé a bheith in ann dul isteach san aonad nua faoin samhradh, mar go gcaithfidh mé an áit ina bhfuil mé a fhágáil i gceann trí mhí.'

Am ar bith eile bheadh an-spéis ag Tomás i scéal faoi sheandálaithe ag teacht ar chnámha, ach anocht bhí a aird ar fad ar Mharcus–céard a scríobhfadh sé sa chéad teachtaireacht eile? Bhí go leor rudaí ann ar mhaith leis labhairt fúthu. Ba mhaith leis tuilleadh eolais a fháil faoin scoil a raibh Marcus ag freastal uirthi–níor chuala sé faoina leithéid de scoil riamh cheana! Ach, tar éis go leor machnaimh, bhreac sé an teachtaireacht seo a leanas:

Teachtaireacht ó Thomás chuig Marcus. Céard a chonaic tú agus tú ar saoire sa Róimh? Cén áit a raibh tú ag fanacht? Céard iad na hainmhithe móra a ndearna tú tagairt dóibh i do theachtaireacht deiridh? Vale, Tomás.

Nuair a bhuail an clog ag am lóin an lá dár gcionn, rith Tomás go dtí an Seomra Ríomhaireachta láithreach, agus bhí Mr Jones ag fanacht air. Nuair a bhí an teachtaireacht clóbhuailte aige ar an scáileán, dúirt an máistir, 'B'fhearr duit dul agus do lón a ithe anois, a Thomáis. Ní thiocfaidh freagra ar bith roimh amárach ar a luaithe.'

Ach, go tobann, agus an máistir agus Tomás ag breathnú ar an scáileán, tháinig freagra Mharcuis aníos.

Tomás<scoilpenybryn@caer.ac.uk> Bhí mé féin agus m'athair ag fanacht le m'aintín sa Róimh. Chuaigh muid chuig dráma grinn le Plautus—bhí sé an-ghreannmhar agus bhí gach uile dhuine sna trithí. Agus bhí mé ag Sorcas Maximus leis na rásaí a fheiceáil. Agus, lá amháin, chonaic mé Augustus Caesar féin agus dúirt sé le mo dhaid, 'Titus Flaccus Varro, is seirbhíseach maith dílis tú.' Ní dhéanfaidh mé dearmad ar an lá sin go brách.

Tá na hainmhithe móra allta tar éis a bheith ciúin le tamall ach thosaigh an bhúireach arís inniu. Tá faitíos orm go ndéanfaidh siad ionsaí orm féin agus ar m'athair. Tá siad ag dúnadh isteach orainn agus tá an talamh ag creathadh agus tá an gleo mar a bheadh toirneach ann. Mallacht na ndéithe ar na beithígh bhuí allta, agus ar dhuine ar bith eile a chuireann isteach orainn. Go n-imreoidh na déithe díoltas faoi chéad ar aon duine a shatlaíonn ar an áit seo . . .

Léigh Tomás an teachtaireacht uair amháin agus léigh sé arís í. Bhí Marcus beo dhá mhíle bliain ó shin–ach bhí sé ag cur teachtaireachtaí chuig Tomás anois! Cén chaoi a bhféadfadh duine a bhí beo in aimsir na Rómhánach a bheith ag cur teachtaireachtaí ar an Idirlíon? Agus bhí Marcus ag rá go raibh sé i mbaol–céard iad na beithígh mhóra bhuí allta–leoin, tíogair? Ní raibh a fhios ag Tomás cén cheist ba cheart dó a chur ar dtús!

Chas sé i dtreo an mháistir, a shúile chomh mór le sásair, agus d'fhiafraigh sé de, 'Ach ní bhíonn daoine in ann teachtaireachtaí a chur ón am a chuaigh thart tríd an Idirlíon, an mbíonn, a mháistir?'

Bhí an chuma ar an Máistir Jones go raibh sé tar éis taibhse a fheiceáil.

'Bhuel, ní bhíonn, ar ndóigh, ach fós . . .' ar seisean go héiginnte.

Chuaigh roinnt seachtainí thart. Choinnigh an Máistir Jones agus Tomás súil ghéar ar leathanach baile na scoile ar an Idirlíon. Tháinig roinnt teachtaireachtaí go dtí baill eile den rang–scríobh Vicky ó na Stáit Aontaithe go dtí Nerys, agus fuair Alan timpeall céad freagra nuair a lorg sé scéala ó dhaoine a raibh spéis acu in Oasis. Ach níor tháinig focal ar bith ó Mharcus.

Bhí díomá ar Thomás. Rinne sé teachtaireachtaí Mharcuis a phriontáil agus léigh sé arís agus arís eile iad, ach ní raibh sé in ann smaoineamh ar mhíniú ar bith, go háirithe ar an gceann deireanach.

Ach, ar a laghad, bhí aoibh níos fearr ar Dhaid anois –bhí an obair ar an aonad nua ag dul ar aghaidh go maith, agus bheadh an chuideachta in ann bogadh isteach i gceann sé seachtaine.

Tháinig sé abhaile óna chuid oibre Aoine áirithe agus ar sé le Tomás, 'Éist leis seo! Tá an-spéis agat i stair na Róimhe, nach bhfuil? Bhuel, tá an seandálaí tar éis a dheimhniú gur cnámha Rómhánacha iad siúd a bhí sa talamh san áit ar tógadh na haonaid nua, agus tá siad tar éis taispeántas beag a dhéanamh díobh ar an mbealach isteach go dtí an tIonad Fiontar. Ar mhaith leat teacht lena bhfeiceáil amárach?'

Dúirt Tomás go dtiocfadh sé, cé go raibh sé ag éirí bréan de rudaí Rómhánacha nuair nach raibh rud ar bith cloiste aige ó Mharcus.

Ar chaoi ar bith, chuaigh an bheirt acu go dtí an tIonad Fiontar lá arna mhárach agus bhí an taispeántas ar siúl sa Halla Fáiltithe. Bhreathnaigh Tomás ar phictiúirí de dhá JCB bhuí ag tochailt agus ansin ar phictiúr de cheann de na cnámha san áit ar fritheadh iad. Istigh i gcás beag chonaic sé na cnámha féin, agus an blúire eolais seo a leanas fúthu:

Cnámha bheirt Rómhánach a aimsíodh le linn tochailte le haghaidh Aonad 21. Is cosúil go raibh baint acu le hionsaí a rinne na Rómhánaigh i ndeisceart na Breataine Bige. Ar an drochuair, briseadh an leac a bhí ar an láthair, ach nuair a bhíothas ag cur na bpíosaí le chéile is cosúil gurbh iad na hainmneacha TIT (WS FLACC)WS agus a mhac MARCUS a bhí ann.

Baineadh preab as Tomás nuair a chonaic sé na focail –Marcus agus a athair! Iad sin a bhí sa talamh! Ach bhí seisean tar éis teachtaireachtaí a chur chuig Marcus, agus freagraí a fháil ar ais! Cén chaoi a bhféadfadh sé sin tarlú? Agus, dar ndóigh–na beithígh allta–ba iad sin an dá JCB! Ach ní fhéadfadh sé–an bhféadfadh?

Bhí meadhrán i gceann Thomáis, ansin rith smaoineamh uafásach leis–an mhallacht!

Mallacht na ndéithe ar na beithígh bhuí allta, agus ar dhuine ar bith eile a chuireann isteach orainn. Go n-imreoidh na déithe díoltas faoi chéad ar aon duine a shatlaíonn ar an áit seo . . .

Agus é ag iarraidh a bheith ar nós cuma liom, d'fhiafraigh sé dá dhaid, 'Is faoi Aonad 21 a bhí na cnámha–cén uimhir atá ar d'Aonadsa, a Dhaid?'

'Uimhir 21, ar ndóigh,' arsa Daid, agus miongháire áthais ar a aghaidh. 'Is gearr anois go mbeimid ag bogadh isteach ann.'

Breithlá Lil

'Is cailín beag ciúin í–ní chuirfidh sí isteach ort in aon chor,' arsa Mam, ach sheas Séamus os a comhair agus cuma mhíshásta air.

'Ach cad chuige a gcaithfidh sí teacht anois–an tseachtain dheireanach den tsaoire? Níl mise ag iarraidh go mbeadh cailín ag crochadh asam ar feadh seachtaine!'

D'ardaigh Daid a chloigeann ón nuachtán a bhí á léamh aige agus é ag ithe a bhricfeasta agus cuma chrosta air.

'A Shéamuis! Éirigh as! Níl aon duine eile againn le haire a thabhairt di! Tá do mháthair sách cruógach mar atá sí, caithfidh tusa cúnamh a thabhairt agus sin sin!'

'Ó! Ócé,' arsa Séamus, agus náire air mar ní minic a chaillfeadh Daid an cloigeann agus bhí a fhios ag Séamus ina chroí istigh go raibh an ceart ar fad aige.

Ach ba phian sa tóin é, mar sin féin. Seachtain dheireanach na saoire–an tseachtain dheireanach saoirse sula dtosódh an scoil–bhí pleananna iontacha déanta aige féin, Maití agus Seán. Agus anois–é seo–glao teileafóin ar a Mham ó Uncail Joe–bhí air imeacht as baile go tobann mar gheall ar chúrsaí oibre–agus gan duine ar bith ann le haire a thabhairt do Threasa . . .

'Is féidir léi fanacht linne agus fáilte,' arsa Mam ar an bpointe, agus bhí Treasa tar éis teacht ar an traein dheireanach aréir. Ní raibh sí ina suí fós mar bhí sí tuirseach tar éis an turais.

'Is féidir le Treasa teacht chuig na siopaí liomsa ar maidin,' arsa Mam le Séamus. 'Amach leat is bí ag imirt leis na gasúir go dtí am lóin. Is féidir leatsa í a thabhairt timpeall na háite tráthnóna.'

Ach bhí sé ag stealladh báistí faoi am lóin, agus ní raibh siad in ann dul amach.

Bhí Treasa ar aon aois le Séamus ach ní raibh sí feicthe aige leis na blianta. Chuir Mam in aithne é don chailín ard, le gruaig dhorcha agus súile meidhreacha. Bhí an triúr acu ag an mbord ag ithe pónairí ar thósta nuair a dúirt Mam go tobann,

'A Shéamuis, céard faoi dhul suas go dtí an lochta féachaint an bhfuil rud ar bith ann a gcuirfeadh Treasa suim ann? An cuimhin leat na seanmhíreanna mearaí a chuir muid suas ann nuair a bhí muid ag glanadh do sheomra anuraidh? Agus bhí Monopoly ann chomh maith, nach raibh?'

Bhí Séamus sásta go leor leis an moladh sin mar bhí sé tar éis a bheith ag caint le Treasa agus ba léir go raibh sí ábhairín trí chéile de bharr a bheith curtha as baile chomh tobann sin. Mar sin, tharraing sé an dréimire chun an lochta amach agus dhreap an bheirt acu suas go cúramach.

'Seachain tú féin! Tá dusta gach uile áit,' arsa Séamus. Bhí sé féin agus a thuismitheoirí ag úsáid an lochta le gach cineál seanrudaí nach raibh spás sa teach dóibh a choinneáil, agus ní dheachaigh duine ar bith i ngar don áit le míonna.

'Ó! Sin é mo liathróid Coca-Cola–bhíos á lorg an tseachtain seo caite,' ar sé agus é an-sásta. Chuimhnigh sé ansin gurbh é Daid a chuir sa lochta í tar dó féin agus a chairde cúpla fuinneog a bhriseadh sa teach gloine le linn shaoire na Nollag.

'Bímse ag imirt peile le foireann chailíní na scoile,' arsa Treasa.

Bhreathnaigh Séamus uirthi agus iontas air. Bhí sé féin craiceáilte faoi pheil agus bheadh sé go hiontach duine eile a bheith ann le bheith ag bualadh na peile timpeall an ghairdín in éindí leis–níor chas sé ar chailín a d'imir peil riamh roimhe sin. Chuaigh sé ag lorg na míreanna mearaí agus na gcluichí eile a luaigh a mháthair, ach ghlaoigh Treasa amach go corraithe, 'Céard é seo, a Shéamuis? An bhfuil cead agam é a oscailt?'

Chas Séamus agus chonaic sé Treasa ina seasamh in aice le seanbhosca. Ón gcuma a bhí air ba chosúil nár oscail duine ar bith é leis na blianta.

'Cinnte, is féidir,' arsa Séamus. 'Seo, tabharfaidh mé cúnamh duit.'

Ní raibh glas ar an mbosca ach rinne an clár adhmaid a bhí air díoscán nuair a d'ardaigh Séamus é. Istigh ann bhí éadaí, leabhair, bréagáin, gearrtháin as nuachtáin agus seansoithí, fiú. Beag spéis a bhí ag Séamus ina raibh ann ach ba léir go raibh Treasa ag baint an-taitnimh as a bheith ag dul tríd na seanrudaí.

'A Shéamuis,' ar sí, 'féach ar an seanteidí seo agus cnaipí donna mar shúile air–cheapfá gur ag gáire atá sé, nach gceapfá? N'fheadar cér leis é?'

'Mo sheanmháthair, b'fhéidir–níl a fhios agam. Caithfidh tú ceist a chur ar Mham,' arsa Séamus, gan mórán spéise aige ann, mar bhí sé tar éis teacht ar charn de ghreannáin i gcúinne den lochta. Fad is a bhí seisean ag léamh bhí Treasa ag dul tríd an gcuid eile den stuif sa bhosca. Tharraing sí dhá sheanhata amach agus bhain sí triail astu. Bhí ceann acu dubh agus dos sailchuacha air, agus bhí dath an uachtair ar an gceann eile agus rós mór bándearg air. Agus tháinig sí ar bhabhlaer dubh. Cér leis é sin? Thíos ag bun an bhosca bhí seanphictiúr, donn agus bán, de chailín óg timpeall dhá bhliain déag d'aois. Bhí gruaig fhionn chatach uirthi agus miongháire deas ar a béal. Bhí cárta beag greamaithe ar chúl an phictiúir. Tharraing Treasa amach é go cúramach agus chonaic sí gur cuireadh a bhí ann. Scríofa i ndúch óir i bpeannaireacht chruinn, chúramach (a bhí i bhfad níos néata ná scríbhneoireacht Threasa féin) bhí na focail–'Tugtar cuireadh duit go dtí fleá breithlae an 31 Lúnasa. L.' I gcúinne uachtarach an chárta bhí bláth a bhí triomaithe agus preasáilte go cúramach–bláth dearg a raibh croí geal ann, ach a bhí beagnach dubh faoi seo.

'An bhfuil a fhios agat cé hí an cailín seo?' a d'fhiafraigh Treasa.

Rug Séamus ar an bpictiúr agus bhreathnaigh sé air.

'Níl tuairim agam,' ar sé, agus chas sé thart é. Bhí dáta ar an gcúl, é scríofa le dúch, '31 Lúnasa, 1938'. 'Nach aisteach' ar sé, 'seo an lá deiridh de mhí Lúnasa.'

'Sin é an dáta atá ar an gcuireadh,' arsa Treasa agus í sáite ann. 'B'fhéidir gur breithlá an chailín sa phictiúr a bhí ann. An féidir leat ainm a fheiceáil ar an bpictiúr?'

Bhí rud éigin eile scríofa ar chúl an phictiúir, ach é scriosta. Rinne Séamus iarracht é a léamh–L . . . i . . . e–nó 'l' eile b'fhéidir. Ach ní raibh aon mhaith ann, bhí sé ródhoiléir, ní raibh sé in ann é a dhéanamh amach.

'Hm, aisteach,' ar sé. 'Níl tuairim agam cé hí–caithfidh muid ceist a chur ar mo sheanmháthair. Ach ní anois–bíonn sos aici san iarnóin. Seo, a Threasa,' lean Séamus ar aghaidh, spéis sa phictiúr caillte aige, 'an dtabharfá cúnamh dom na míreanna mearaí a thabhairt síos an dréimire?'

Faoin am go raibh sé sin déanta agus an dréimire brúite ar ais ina áit, bhí an bháisteach thart agus bhí an ghrian ag taitneamh.

'Céard faoi dhul amach sa ghairdín ag imirt peile?' a d'fhiafraigh Séamus. Ní raibh ó Threasa ach gaoth an fhocail; amach leo. Bhí Treasa go hiontach ag an bpeil agus chuir sí iontas ar Shéamus, nuair a d'inis sí dó go raibh uncail le cara léi, Melanie, ag obair in oifig Man. United agus gur iarr sé ar chuid de na himreoirí teacht agus cúnamh a thabhairt d'fhoireann Threasa agus a cairde nuair a bheidís i mBaile Átha Cliath. Bhí éad air.

'Má theastaíonn síniú aon duine de na himreoirí i Man. United uait, is féidir le huncail Mhelanie é a fháil duit,' arsa Treasa ar nós cuma liom. 'Agus, má thagann tú ag fanacht linn, fiafróidh mé de Mhelanie an féidir lena hathair ticéid a fháil le haghaidh cluiche dá gcuid, más maith leat, má bhíonn cluiche acu i mBaile Átha Cliath.'

Iontach! Bhí Séamus ag tnúth anois le Treasa a thabhairt leis le casadh lena chairde. Tar éis an tsaoil, ní raibh gaol ag duine ar bith acu siúd a raibh teagmháil aige le ceann de na clubanna sacair is mó ar domhan, agus bhí a fhios ag Séamus gur an-tacadóir de chuid Man. United é Seán.

'Fág seo, gabhfaidh muid síos go dtí an trá,' ar sé léi, 'seans go mbeidh Maití agus Seán ann agus go mbeidh muid in ann cluiche beirt in aghaidh beirte a imirt.'

D'imíodar leo, agus Séamus ag iompar a liathróid Coca-Cola faoina ascaill. Chuaigh siad thar an scoil agus an linn snámha.

'Ar mhaith leat dul ag snámh sa linn amárach?' a d'fhiafraigh Séamus. 'Má bhíonn muid ann go luath, beidh an linn fúinn féin ar feadh tamaill, go dtí go dtiocfaidh na gasúir bheaga le haghaidh ceachtanna snámha.'

'Ach níl mé in ann snámh,' arsa Treasa agus díomá uirthi. 'Níl linn snámha ar bith in aice linn sa bhaile.'

'Ná bí buartha–is féidir liomsa ceachtanna snámha a thabhairt duit!' arsa Séamus ar an bpointe. Agus le fírinne, bhí sé an-sásta faoin am seo go raibh rud éigin ann a d'fhéadfadh seisean a thaispeáint do Threasa. Shocraigh an bheirt acu go n-éireoidís go luath an lá dár gcionn chun tús a chur leis na ceachtanna snámha.

'Tar éis an tsaoil,' arsa Séamus, 'níl ach seachtain den tsaoire fágtha.'

Nuair a shroich Séamus agus Treasa an trá, chonaic siad Seán agus Maití ag ceannach '99 ón veain uachtair reoite a bhí páirceáilte ann. D'inis Séamus dóibh cérbh í Treasa agus nuair a luaigh sé, ar nós cuma liom, go raibh uncail chara Threasa ag obair le Man. United, ba bheag nár phreab súile Sheáin as a cheann!

"Cúúúl!' ar sé. 'Nach deas duit col ceathar mar Threasa a bheith agat. Tá beirt chol ceathar agamsa, agus ní labhraíonn siad faoi thada ach éadach agus smideadh agus stíleanna gruaige gan stad gan staonadh.'

Las Treasa go bun na gcluas nuair a chuala sí an moladh i nguth Sheáin–bhí sí ag mothú níos mó ar a suaimhneas de réir a chéile. Shocraigh an ceathrar acu go n-imreoidís peil ar an trá. 'Beirt in aghaidh beirte–mise agus Treasa i gcoinne na beirte agaibhse!' a mhol Séamus.

Bhí sé breá grianmhar faoin am seo agus go leor cuairteoirí ag teacht le bolg le gréin a dhéanamh ar an trá. Mar sin, bhog an ceathrar trasna chuig trá níos faide siar, ar an taobh eile de na dumhcha, áit a mbeadh níos mó spáis acu. Ba í foireann Shéamuis agus Threasa ab fhearr gan amhras agus bhí ar Shéamus a admháil dó féin go raibh a bhuíochas sin ar Threasa, mar cheapfá go raibh an liathróid ceangailte dá cosa le leaisteach, an bealach a raibh sí de shíor ag preabadh ar bharr a bróg rása. Faoin am a raibh Treasa agus Séamus 15 - 0 chun tosaigh, shocraigh an bheirt eile go raibh a ndóthain faighte acu, agus bhí geallta ag Maití go mbeadh sé sa bhaile go luath ar aon nós, mar go raibh a Aintín Lasairfhíona ag teacht le haghaidh tae.

Bhí Séamus agus Seán as anáil agus marbh tuirseach. Luigh an bheirt acu ar an ngaineamh teolaí agus lig don ghaoth úr séideadh ar a n-aghaidh. Ach bhí Treasa fós lán fuinnimh,

'Ná habair liom go bhfuil sibh tuirseach cheana féin?' ar sí, ag gáire, agus í ag breathnú síos ar na buachaillí. 'Rachaidh mise síos go dtí an fharraige, ní bheidh mé i bhfad.' Agus ar aghaidh léi, í ag preabadh na liathróide ó chos go cos.

Tar éis deich nóiméad nó mar sin, tháinig tart ar Shéamus–bheadh líreacán reoite oráiste ar fheabhas! D'éirigh sé agus bhreathnaigh thart ag lorg Threasa. Chonaic sé í tamall beag uaidh ag caint le cailín eile a bhí thart ar aon aois léi féin.

'Hé! A Threasa!' a ghlaoigh sé, 'ar mhaith leat líreacán reoite?'

Ach níor chuala Treasa é–bhí sí róghnóthach ag caint lena cara nua. Chas sise, agus bhreathnaigh ar Shéamus, ach ní dúirt sí tada. Fuair Séamus spléachadh uirthi sular chas sí ar ais–gruaig fhionn, súile móra, agus srón bheag néata. Cheap sé gur aithin sé í ar bhealach éigin. Bhí sé cinnte go raibh sí feicthe cheana aige, ach bhí a fhios aige nach duine de na cailíní ón scoil a bhí inti. Bheadh air ceist a chur ar Threasa. Ach ar aon nós, gheobhadh sé bás muna bhfaigheadh sé an líreacán reoite sin.

'Beidh mé ar ais sula i bhfad!' a ghlaoigh sé i dtreo Threasa agus a cara.

Bhí an veain uachtair reoite tar éis bogadh agus b'éigean do Shéamus agus do Sheán siúl go dtí an taobh thall den trá chun na líreacáin a cheannach. Ach mmm! bhí siad blasta. Ansin, bhreathnaigh Seán ar a uaireadóir.

'Ó, a dhiabhail!' ar sé, 'tá sé beagnach a cúig a chlog. Gheall mé go mbeinn sa mbaile leath uair an chloig ó shin.' Agus rith sé leis trasna na trá.

Tá sé in am dúinne dul abhaile chomh maith, a mheas Séamus, agus chuaigh sé ar ais go dtí an trá ar an taobh eile de na dumhcha le Treasa a lorg. Ach ní raibh sí ann. Tá mé cinnte go bhfuil sise tar éis a bheith do mo chuardachsa chomh maith, ar sé leis féin. Aisteach nach bhfaca mé í. Ach ní raibh sí ar an trá eile ach an oiread–ná cailín na gruaige finne a bhí léi. Cén áit faoi Dhia a ndeachaigh sí? Cheistigh sé roinnt turasóirí a bhí tugtha faoi deara aige ag imirt ar an trá, 'Gabh mo leithscéal, ach an bhfaca sibh beirt chailíní ag siúl an bealach seo–thart ar aon aois liomsa, duine acu le gruaig dhorcha agus an duine eile fionn?'

'Duine ar bith,' a d'fhreagair an fear. Ach ghearr an bhean trasna air. 'Ach nach cuimhin leat, a Pheadair, bhí beirt chailíní ag siúl ar imeall na trá, jíons ar dhuine acu, agus gúna fada seanfhaiseanta ar an gcailín eile? Thug mé suntas faoi leith dise mar bhí gach uile dhuine eile ag caitheamh jíons nó brístí gearra ar an trá inniu. Siar an bealach sin a chuaigh siad,' ar sí ag díriú a méire i dtreo na trá ar an taobh eile de na dumhcha, áit a bhí Séamus tar éis a chuardach anois beag.

A leithéid de chrá croí! Cén áit ar imigh sí? Bhí Séamus ag éirí cantalach. Rith smaoineamh leis ansin: Ar ndóigh, níor fhan sí liom, chuaigh sí abhaile léi féin. Bhí sé de cheart aici a rá liom. Huth! cailíní! Agus abhaile leis go beo bríomhar.

Ach a luaithe a shiúil sé isteach sa chistin agus é ag feadaíl, an chéad rud a dúirt Mam, 'Cén áit a bhfuil Treasa? Tá an tae ullamh le leathuair an chloig.'

'Ach . . . níl sí liomsa–cheap mise go raibh sí tar éis teacht abhaile romham.'

Bhí buairt i súile Mham. Thosaigh sí ag tabhairt amach do Shéamus agus í ag fiafraí, 'Cén áit go díreach a bhfaca tú Treasa go deireanach? Céard é go díreach a bhí á dhéanamh aici?'

D'inis Séamus faoin gcailín a bhí ag caint le Treasa agus rinne sé iarracht cuimhneamh ar an gcuma a bhí uirthi. Bhí gruaig fhada fhionn uirthi, sciorta fada–dúirt an bhean a bhí á ceistiú agam fúithi go raibh sí ag caitheamh éadaí seanfhaiseanta. Agus bhí mé cinnte go bhfaca mé áit éigin cheana í . . .'

'Chonaic tú áit éigin roimhe seo í? Cén áit? Déan iarracht cuimhneamh! Cén áit?'

Ag an nóiméad sin thit súil Shéamuis ar an gcarn stuif a bhí sé féin agus Treasa tar éis a thógáil anuas ón lochta tar éis am lóin. Ar bharr an chairn bhí an seanphictiúr donn agus bán den chailín óg.

'Sin í!' a ghlaoigh sé. 'Ba í sin í!'

'Éirigh as an tseafóid, a Shéamuis,' arsa Mam go crosta, 'sin seanphictiúr éigin ón lochta. Ná bí ag rámhaille.'

'Lil!'

Chas an bheirt acu go tobann nuair a chuala siad siosarnach taobh thiar díobh. Mamó a bhí ann. Ó bhí an bheirt acu ag díriú ar an bpictiúr, níor chuala ceachtar acu í ag teacht isteach. Bhí an tseanbhean tinn; bhí sé de nós aici sos a ghlacadh ar feadh tréimhse tar éis am lóin, agus bhíodh sí ag mothú níos fearr ansin tráthnóna–ach ní raibh cuma rómhaith uirthi anois. Bhí sí chomh bán leis an gcailc agus í ag croitheadh ó bhun go barr. Rith Mam chuici.

'Gabh i leith agus suigh síos,' ar sí. 'Níl cuma rómhaith ort. An nglaofaidh mé ar an dochtúir?'

Ach dhírigh Mamó méar a raibh creathán inti i dtreo an phictiúir. 'Sin Lil,' ar sí, 'Lil béal dorais, ar a breithlá deireanach. Díreach ina dhiaidh sin chuaigh sí síos chun na trá taobh thiar de na dumhcha le sliogáin a bhailiú, agus tháinig an taoide isteach agus bádh í. Ní raibh sí in ann snámh. Agus deir siad go mbíonn sí ag siúl ar an trá, uaireanta, ar a breithlá . . .'

Rug Mam ar an bpictiúr agus chas thart é. Bhí a fhios ag Séamus cén dáta a bhí ar chúl an phictiúir sula ndúirt sí rud ar bith–31 Lúnasa. 'Seo an 31 Lúnasa,' arsa Mam, tocht ina glór agus í trí chéile.

Agus chuimhnigh Séamus ar rud eile–rud uafásach. 'Níl Treasa in ann snámh,' a bhéic sé, 'dúirt sí nach raibh sí in ann snámh!'

Gan focal eile a chur amú, rith sé amach as an teach agus ar ais i dtreo na trá. Bhí a fhios aige go raibh Mam sna sála air. Rith an bheirt ar nós na gaoithe go dtí an trá ar an taobh eile de na dumhcha. Bhí an taoide ag líonadh faoi seo agus ag bualadh go tréan suas ar an ngaineamh. Ní raibh duine ar bith ar an trá. Ghlaoigh Séamus amach, 'A Threasa!' Ghlaoigh Mam, 'An gcloiseann tú muid, a Threasa?'

Tharla, ansin, gur bhreathnaigh Séamus amach i dtreo na farraige. Chonaic sé duine éigin amuigh san uisce ag croitheadh lámh leis go fiáin! 'Sin í!' scread sé. 'Tá sí san uisce!'

'Caithfimid cúnamh a fháil!' Chas Mam le himeacht.

'Níl an t-am againn.' Bhí Séamus ag baint a T-léine de cheana. Rith sé amach san fharraige; thosaigh sé ag snámh go tréan. Bhí sé deacair snámh i gcoinne na taoide–ar aghaidh agus ar aghaidh, lámha á n-ardú go mall ceann i ndiaidh an chinn eile, cosa á gciceáil . . . Faoi dheireadh, shroich sé Treasa. Bhí scanradh mór uirthi. Ní raibh aon am le cur amú.

'Luigh ar do dhroim go ciúin. Tarraingeoidh mé ar ais chun na trá thú. Anois, a Threasa!'

Rinne Séamus iarracht cuimhneamh ar an méid a d'fhoghlaim sé sna ranganna tarrthála . . . bhí an sruth á n-iompar anois . . . ach bhí tuirse ag teacht air—ní fhéadfadh sé snámh mórán níos faide . . . Go tobann mhothaigh sé gaineamh faoina chosa, agus Mam ag tarraingt Threasa go dtí an trá, slán sábháilte.

Luigh Séamus ar an ngaineamh. Bhí ga seá ann. Ní raibh sé chomh traochta sin riamh ina shaol. Bhí Treasa ag iarraidh a hanáil a fháil léi chomh maith; ansin, de réir a chéile dúirt sí le Mam, 'Lil a bhí ann . . . an cailín sa phictiúr . . . chaith sí an liathróid san fharraige . . . chuaigh mé isteach á lorg.' Ansin, 'Bhí Lil ag iarraidh go mbáifí mé in éineacht léi . . .'

Thosaigh Treasa ag caoineadh. Chuir Mam a lámha thart uirthi agus d'fháisc sí í lena croí.

Shuigh Séamus suas agus arsa Treasa, trí na deora, 'Agus tá do liathróid caillte agam . . .'

Rinne Séamus mionghháire. 'Féach,' ar sé, ag díriú a mhéire ar an bhfarraige.

Amuigh ansin, ag damhsa go héadrom ó thonn go tonn ina dtreo ar chúr bán na farraige, bhí an liathróid Coca-Cola.

An Dilchara

'Gabh i leith, a Ríonaí,' arsa Bláithín, 'caithfidh tú dul sa chonchró.'

Níor thuig Ríonaí. Maidin Dé Sathairn a bhí ann, agus go hiondúil théadh Bláithín ar siúlóid cois na habhann léi ag an deireadh seachtaine. Chuaigh sí fad lena ciseán sa chonchró agus bhreathnaigh sí ar Bhláithín le súile móra brónacha.

'Beidh muid ar ais roimh am lóin.' Phóg Bláithín ceann an mhadra, chinntigh go raibh a sparán ina póca, agus amach léi go dtí an carr.

'An bhfuil tú réidh, a Bhláithín?' a d'fhiafraigh Mam. 'Tá an carr líonta agam–gheobhaimid áit mhaith má bhíonn muid ann go luath! Tá an lá go breá. Beidh slua mór ann inniu, fan go bhfeicfidh tú.'

Tar éis turas gairid sa charr, chonaic siad póstaer mór daite. 'DÍOLACHÁN SCOIL CHILL AODHA, 21 MEITHEAMH,' crochta idir dhá chuaile adhmaid ar an mbealach isteach go dtí páirc imeartha na scoile.

'Rang 6 a phéinteáil an póstaer sin,' arsa Bláithín. 'An bhfeiceann tú an t-AMH 21 ag an deireadh? Mise a rinne é sin.'

Bhí carranna eile ag teacht isteach ag an am céanna leo. Pháirceáil Mam i gceann den dá shraith de charranna agus d'oscail an bút. Bhí gach uile dhuine mórthimpeall orthu gnóthach agus iad ag socrú a gcuid seastán.

'Tabhair lámh chúnta dom an bord seo a thógáil amach, a Bhláithín,' arsa a Mam. 'Socróimid na rudaí air ansin.'

Thosaigh Bláithín ag socrú an tseastáin–soithí chun tosaigh, rudaí níos mó ar cúl. Bhí clúdaigh dheasa d'éadach daite tugtha leo ag cuid de na daoine le cur ar a gcuid bord agus a gcuid giuirléidí a chur ar taispeáint go tarraingteach. Bhí Daithí Mac Uí Chuinn tar éis suíochán canbháis a thabhairt leis fiú, le go mbeadh sé ina ann suí taobh lena sheastán.

Chuaigh an tUasal Mac Seáin, an Príomhoide, thar bráid. 'Maidin bhreá, a Bhean Uí Chonaire. Heileo, a Bhláithín. Déanfaimid roinnt mhaith airgid inniu, tá súil agam. Céard a cheapfá?'

Bhí Bláithín agus Mam tar éis carn de rudaí nach raibh ag teastáil uathu a bhailiú timpeall an tí, agus bhí Aintín Máire béal dorais tar éis lasta a thabhairt dóibh chomh maith. Bhreathnaigh Mam timpeall ar na seastáin. Nach maith sin, a mheas sí, tá gach uile dhuine tar éis iarracht a dhéanamh; is cinnte go mbeidh sé ina chúnamh do Chiste Ospidéal na bPáistí.

Bhí siad gnóthach ag díol ar feadh tamaill. Fuair Mam praghas maith ar na soithí, ar an bpotadóireacht go háirithe, agus bhí Bean Mhic Thomáis craiceáilte faoi chuirtíní gorma Aintín Máire. Ach ansin, thosaigh rudaí ag ciúnú. D'imigh Mam le suí sa charr agus le cupán caifé a ól as an bhfleasc.

'Siúil thart,' ar sí le Bláithín. 'B'fhéidir go bhfeicfeá rud éigin le ceannach. Cuimhnigh go bhfuil iall nua ag teastáil ó Ríonaí.'

Shiúil Bláithín suas an tsraith ina raibh a máthair páirceáilte. Thart ar thrí charr suas bhí Louise agus a máthair siúd suite. Níor thaitin Louise le mórán sa rang mar bhíodh sí ag maíomh i gcónaí agus í ag ceapadh go raibh sí níos fearr ná daoine eile.

'Ó, heileo, a Bhláithín,' ar sí, lánsásta léi féin. 'Tá muide ar an mbealach abhaile. Gach uile rud díolta, tá a fhios agat. Ba muide an chéad seastán a chríochnaigh mar go raibh gach uile dhuine ag teacht ag iarraidh na rudaí áille a bhí againn.'

Chuaigh Bláithín ar aghaidh thar an tsraith sin agus ansin shiúil sí síos ar an taobh eile. Bhí sí ag an deireadh, beagnach, agus gan pingin rua caite aici. Caithfidh mé rud éigin a cheannach,' ar sí. Ansin chuaigh sí thar sheastán Sheoirse.

'Haigh, a Bhláithín,' a ghlaoigh Seoirse amach. Las Bláithín go dtí an dá chluas. Thaitin Seoirse léi, ach bhí seisean i rang 5, agus mhothaigh sí cúthail faoi. Chuaigh sí sall go dtí an seastán. Bhí Seoirse tar éis tosú ag pacáil rudaí ar ais sna boscaí mar bhí cluiche iomána aige agus bhí deifir air. Chonaic Bláithín dhá iall ar bharr cheann de na boscaí, ceann dearg agus ceann gorm.

'Ceannóidh mé iad sin,' ar sí le Seoirse. 'Cá mhéad atá orthu?'

'Éist, a Bhláithín,' arsa Seoirse le miongháire, 'seo sladmhargadh duit. Gach uile rud atá sa bhosca seo ar phunt. Ní hea, ó tharla gur custaiméir speisialta tú, an t-iomlán ar chaoga pingin!'

Las Bláithín arís agus thug caoga pingin dó.

'Bí cúramach, tá an bosca lán!' arsa Seoirse agus é ag glacadh an airgid.

Chuaigh Bláithín ar ais go dtí seastán a máthar leis an mbosca. Bhí beagnach gach uile rud díolta ag Mam faoi sin, agus bhí sí tosaithe ar a raibh fágtha a phacáil.

'Féach, a Mham,' arsa Bláithín, 'fuair mé dhá iall nua do Ríonaí.'

Chuir sí an bosca sa bhút, agus thug cúnamh di an bord a fhilleadh.

Nuair a shroich siad an baile, bhreathnaigh Bláithín ar an stuif eile a bhí sa bhosca—patrúin chniotála, dhá cheirtlín olla, bróiste, coirníní—agus thíos ag an mbun bhí bábóg sheanfhaiseanta a raibh gúna lása corcarghorm uirthi. Cheap Bláithín go raibh sí féin róshean le bheith ag imirt le bábóga, ach ó! bhí sí seo go hálainn! Bhí gruaig ar dhath an óir uirthi agus súile glasa agus bhí miongháire mealltach ar a béal. Agus bhí a gúna go hálainn—bhí bróidnéireacht déanta ar an sciorta ar fad agus bhí seál ar dhath an uachtair á chaitheamh aici ar a guaillí.

'Féach an rud a bhí ag bun an bhosca,' ar sí le Mam.

Bhí Mam an-tógtha ar fad leis an mbábóg.

'Tá cloigeann poircealláin uirthi. Léiríonn sin go bhfuil sí an-sean,' ar sí. 'Chonaic mé rud éigin cosúil léi ar an gclár sin faoi sheandachtaí seachtain nó dhó ó shin. Tabhair aire di. Fuair tú sladmhargadh! Cén t-ainm a thabharfaidh tú uirthi?'

Bhreathnaigh Bláithín ar an mbábóg agus, gan smaoineamh, léim ainm isteach ina haigne ar an bpointe. 'Brenda–sin a ghlaofaidh mé uirthi.'

Thug Bláithín Brenda suas staighre go dtí a seomra codlata agus chuir ina seasamh ar leac na fuinneoige í. Ansin chuaigh sí chun Ríonaí a scaoileadh ón gconchró. Bhí sceitimíní ar Ríonaí agus d'imir an bheirt acu tarraingt téide le seanrópa sa ghairdín go dtí gur ghlaoigh Mam ar Bhláithín le haghaidh an lóin.

'Ghlaoigh Daideo ar an bhfón le linn dúinn a bheith amuigh,' arsa Mam, 'agus d'fhág sé scéala ar an ngléas freagartha. Deir sé go mbeidh sé ag teacht oíche Mháirt, ar an traein dheireanach.'

'Iontach! Beidh Daideo ag teacht, a Ríonaí,' arsa Bláithín agus í ag breathnú thart ar thóir an mhadra.

Ach ní raibh Ríonaí ann. Cén áit a bhféadfadh sí a bheith? Bhíodh sí in aice leis an mbord ag am béile i gcónaí, agus sceallóga a bhí ann inniu. Thaitin sceallóga go mór léi! Go tobann chuala Bláithín tafann ard thuas staighre.

Rith sí suas. Chuala sí Ríonaí ag drannadh agus ansin ag tafann. Isteach sa seomra léi faoi dheifir. Bhí Ríonaí ina seasamh i lár an urláir agus a fiacla nochta aici, í ag drannadh i dtreo leac na fuinneoige. Bhí Brenda ag miongháire go deas síos uirthi.

'Stop an tseafóid, a Ríonaí,' arsa Bláithín go crosta. Ach ní raibh Ríonaí ag éisteacht. Nuair a d'ardaigh Bláithín an bhábóg agus nuair a chrom sí chun í a thaispeáint do Ríonaí, chúlaigh an madra siar i gcúinne agus í ag geonaíl go truamhéalach.

Faoin am seo bhí Mam tar éis teacht féachaint céard a bhí ar siúl.

'Bí ciúin, a Ríonaí,' a d'ordaigh sí go crosta. 'Caithfidh tú a bheith níos déine léi,' ar sí le Bláithín, 'bíonn tú ag tabhairt an iomarca peataireachta di.'

Bhuail an fón agus d'imigh Mam lena fhreagairt. Chuir Bláithín an bhábóg ar ais ar leac na fuinneoige agus chuir a lámha timpeall ar mhuineál Ríonaí. Tar éis nóiméid, ghlaoigh Mam. 'A Bhláithín, tá Aintín Mairéad ar an bhfón. Ag fiafraí ar mhaith linn dul amach le haghaidh lóin amárach.'

'Iontach! Taitneoidh sé sin leat, a Ríonaí,' arsa Bláithín. Bhí Aintín Mairéad ina cónaí cois farraige sna Sceirí, agus thaitin sé go mór le Ríonaí dul ar siúlóid ar an trá.

Ní hea! Ná himigh! Fan liomsa!

Gheit Bláithín. Ní raibh duine ar bith tar éis focal a rá, ach mhothaigh sí rud éigin! Ní raibh aon duine sa seomra léi. Bhreathnaigh sí thart. Bhí Brenda ina suí ar leac na fuinneoige agus miongháire deas ina súile glasa. Éirigh as an tseafóid, arsa Bláithín léi féin, agus síos an staighre léi féin agus Ríonaí. Chríochnaigh sí a lón–agus, an rud is anamh is iontach, ní raibh na sceallóga ag teastáil ó Ríonaí.

Scrúdaigh Bláithín an bhábóg go cúramach an tráthnóna sin. Bhreathnaigh sí go géar ar an ngúna corcra. Chonaic sí gur theastaigh cúpla greim ón bhfáithim. 'Tá tú an-álainn,' ar sí le Brenda. Tar éis tamaillín chuimhnigh sí ar an obair bhaile–aiste do Bhean Mhic Eoin, an múinteoir Staire. Thaitin an Stair le Bláithín. Thosaigh sí ag scríobh. Ó am go ham mhothaigh sí go raibh duine éigin ag breathnú uirthi. 'Haigh, a Mham,' a dúirt sí, uair amháin, í cinnte go raibh duine éigin tar éis teacht isteach sa seomra. Ach ní raibh aon duine ann–ní raibh le feiceáil ach Brenda agus í ag miongháire ó leac na fuinneoige.

An mhaidin dár gcionn, dhúisigh Bláithín go tobann.

Ná himigh inniu!

Cé a bhí ag caint? D'éirigh Bláithín aniar sa leaba. Ná bí chomh seafóideach sin, ar sí léi féin.

Tháinig Mam go dtí an doras. 'Éirigh, a Bhláithín, caithfidh muid imeacht tigh Aintín Mairéad gan mhoill,' ar sí.

Ní raibh fonn rómhór ar Bhláithín dul ann anois. Bhí tinneas cinn uirthi. Ach d'éirigh sí agus chuir sí a cuid éadaigh uirthi. Ar feadh nóiméid chreid Bláithín go bhfaca sí cuma chrosta ar aghaidh Bhrenda. Chas sí go gasta; ní hea, bhí Brenda ag miongháire go deas mar ba ghnách.

Ach is ag dul in olcas a bhí rudaí i rith an lae. Ní dhúiseodh an carr. 'Ní thosóidh an t-inneall seo! Ní thuigim céard tá cearr,' arsa Mam go caointeach. Ach dhúisigh sí sa deireadh. Ansin, d'éirigh Ríonaí tinn ar an mbealach. Lig Mam osna agus stad ar thaobh an bhóthair. Bhí ar Bhláithín an suíochán a ghlanadh–iuch! Faoi dheireadh shroich siad teach Aintín Mairéad; ach ní raibh siad cúig nóiméad féin ann nuair a bhuail duine eile isteach. Ó, ní hea! Aintín Nóra! Bhíodh Aintín Nóra ag caint–agus ag caint–agus ag caint! Agus inniu d'fhan sí ar feadh dhá uair an chloig. Bhí breis agus a ndóthain dá cuid baothchainte cloiste ag Bláithín agus ag Mam! Ansin, ar an mbealach ar ais, bhí an trácht an-trom. Bhí cumann rothar gluaiste tar éis slógadh mór a reáchtáil cois farraige agus bhí na scórtha acu ag bualadh bóthair abhaile ag an am céanna le Mam agus Bláithín. Gach uile uair a mbíodh ceann acu ag dul thar an gcarr, thagadh scamall deataigh isteach tríd an bhfuinneog, agus bhíodh Ríonaí ag tafann go fiáin agus géaga Bhláithín marbh tuirseach ag iarraidh í a choinneáil socair sa chúlsuíochán!

Shroich siad an baile sa deireadh agus bhí drochaoibh cheart ar Mham faoin am sin. Chuaigh Bláithín a luí ar an bpointe. Agus í ag tarraingt na gcuirtíní chonaic sí go raibh Brenda ag miongháire go sona sásta léi ar an leac.

'Tá sé ceathrú chun a hocht!' arsa clog aláraim an raidió! Chaithfeadh sí brostú nó bheadh sí déanach don scoil! Shlog sí siar a bricfeasta go gasta agus amach léi. Chas sí lena cara Eilís ar an mbealach.

'An ndearna tú an aiste staire?' a d'fhiafraigh Eilís di, osna á scaoileadh aici. 'Ní dhearna mise ach leath leathanaigh; ní raibh mé in ann smaoineamh ar aon rud eile!' Ansin, chuimhnigh sí ar rud spéisiúil. 'Hé, a Bhláithín!' ar sí. 'An dtiocfaidh tú chuig na scannáin anocht? Beidh scannán nua na Spice Girls ann.'

Iontach! Bhí Bláithín ag tnúth go mór leis an scannán sin a fheiceáil. Rith sí abhaile tar éis na scoile, ach ní raibh Mam tagtha abhaile óna cuid oibre fós. Chuaigh sí díreach go dtí a seomra codlata. An chéad rud a chonaic sí ná Brenda ag miongháire go sona ar an leac. D'ardaigh sí an bhábóg. 'Tá tú an-álainn,' ar sí . . . leis sin, tháinig Mam isteach.

'A Mham,' arsa Bláithín, 'an bhféadfainn an tae a bheith agam go luath inniu? Tá Eilís agus mé féin le dul chuig scannán.'

Ní hea! Níl cead agat dul! Fan liomsa!

Sheas Bláithín ina staic! Ní raibh duine ar bith tar éis labhairt. Ach mhothaigh sí drithlín cosúil le leictreachas ag rith trína géaga. Bhí Brenda ina lámha fós. Brenda a dúirt na focail! Ní hea! Ní fhéadfadh sé gurbh í. Bhí Brenda ag miongháire go sona léi. Chuir sí an bhábóg ar ais ar an leac, agus chuaigh síos staighre.

Ach, tar éis deich nóiméad, bhuail an fón. 'Mam Eilíse anseo. Le rá nach mbeidh Eilís in ann dul go dtí na scannáin anocht. D'éirigh sí tinn go tobann; tá sí ina luí ar an tolg.'

Ar bhealach éigin bhí Bláithín ag mothú ciontach. Ná bí amaideach, ar sí léi féin. Ná bí ag samhlú rudaí. Ní fhéadfadh Brenda tinneas a chur ar Eilís. Ach ní dheachaigh sí ar ais go dtí a seomra codlata an tráthnóna sin. Faoi dheireadh labhair Mam léi, 'Anois, a Bhláithín, téigh a luí, nó ní bheidh tú in ann éirí amárach.'

Chuaigh Bláithín suas staighre go drogallach. Agus í ag lasadh an tsolais sa seomra, bhreathnaigh sí ar an leac. Bhí Brenda ag miongháire go sona sásta.

Bhí Eilís níos fearr an lá dár gcionn. 'An mbeidh tú ag teacht amach anocht?' a d'fhiafraigh sí. Bhí sé de nós ag Bláithín agus Eilís a gcuid madraí a thabhairt go dtí ranganna le béasa a fhoghlaim gach oíche Mháirt. 'Buailfidh mé isteach chugat.'

Bhí Bláithín an-chúramach gan focal a rá os comhair Bhrenda faoin áit a raibh sí ag dul an oíche sin. Tá tú amaideach, ar sí léi féin, ní chuireann an bhábóg scanradh ort, an gcuireann? Ach nuair a chuaigh sí go dtí an seomra chun a cuid éadaigh scoile a athrú agus jíons a chur uirthi féin, chuir rud éigin iallach uirthi breathnú ar leac na fuinneoige.

Cén áit a bhfuil tú ag dul? Níl cead agat dul amach! Is mise do chara!

Ghlaoigh Mam ag an nóiméad sin ó bhun an staighre, 'A Bhláithín, an bhfuil tú réidh? Tá Eilís anseo! Ná déan dearmad ar iall Ríonaí!'

Ó ní hea! Ar chuala Brenda an méid sin? Rith Bláithín síos an staighre go gasta. Ba chairde móra iad Ríonaí agus Báibín, madra Eilíse, ach anocht bhí Ríonaí ag drannadh ar Bháibín.

'Céard tá cearr le Ríonaí?' arsa Eilís agus iontas uirthi.

'Ó, ní thaitníonn an aimsir the léi,' a d'fhreagair Bláithín go tapa; caithfidh gur chuala Brenda Mam nuair a ghlaoigh sí orm, a dúirt sí léi féin . . .

Thosaigh an múinteoir na ceachtanna leis na madraí agus a n-úinéirí. Bhíodh Ríonaí ina réalta ranga de ghnáth; shuíodh sí nó shiúileadh sí dá ndeirtí léi é agus bhíodh sí umhal do Bhláithín. Ach anocht, níor thug sí aird dá laghad ar Bhláithín. Rinne Bláithín a dícheall smacht a chur uirthi, ach ní raibh aon mhaith ann. Bhí sí uafásach. Ní raibh sí ag díriú ar an gceacht, agus í ag tafann ar na madraí eile.

'Beidh mise ag imeacht go luath,' arsa Bláithín le hEilís. 'Ní fhaca mé Ríonaí mar sin riamh cheana.'

Ach, agus í ag casadh le dul go dtí an doras, shleamhnaigh iall Ríonaí óna lámh agus rith Ríonaí trasna an tseomra! 'Coinnigh greim ar an madra sin!' a ghlaoigh an múinteoir. 'Cuirfear na madraí eile trí chéile!' Rith Bláithín i ndiaidh Ríonaí. Thit sí thar iall mhadra Eilíse–síos léi! Ábabú! Bhí a cos gortaithe!

Bhí sé leathuair tar éis a naoi faoin am ar shroich Bláithín an baile. Bhí Eilís tar éis glaoch ar Mham. Tháinig Mam leis an gcarr agus thug Bláithín go dtí Aonad na dTimpistí san ospidéal. 'Bhí an t-ádh leat,' arsa an dochtúir, 'níor bhris tú cnámh. Chas tú do rúitín, sin uile. Caithfidh tú scíth a ghlacadh . . .'

Suas an staighre léi ar leathchos le cúnamh ó Mham, agus luigh sí ar an leaba. Suas an staighre le Ríonaí ina ndiaidh, ach níor tháinig sí isteach sa seomra. D'fhan sí taobh amuigh den doras ag tafann.

'Amach chuig an gconchró!' arsa Mam go crosta. 'Níl a fhios agam céard atá cearr leat, a Ríonaí. Muna mbíonn Ríonaí umhal,' ar sí le Bláithín, 'beidh uirthi imeacht!'

'Ní hea, a Mham, ní hea!' a chaoin Bláithín.

Is ea! Is mise do chara!

Níor thug Mam aon rud as an ngnách faoi deara. 'Ná bí buartha faoi láthair, ar chaoi ar bith,' ar sí i nguth níos cineálta. 'An mbeidh tú ceart go leor ar feadh deich nóiméad? Caithfidh mé casadh le Daideo ag an stáisiún. Beidh sé go deas Daideo a fheiceáil arís, nach mbeidh–agus an bheirt agaibh chomh cairdiúil sin le chéile? Fágfaidh mé an fhuinneog ar oscailt. Tá sé te anseo.'

Ní hea! Is mise do chara!

D'imigh Mam. Rinne Bláithín iarracht í féin a dhéanamh compordach. Bhí a rúitín nimhneach. Agus ní raibh sí ag iarraidh breathnú sna súile glasa . . . Bhí imní uirthi . . . Chuaigh ceathrú uaire an chloig thart.

Is mise do chara! Ní Daideo!

Ná breathnaigh ar Bhrenda! Bí ag smaoineamh ar rud éigin eile . . . Chas Bláithín go dtí an raidió ar imeall na leapa. Bhrúigh cnaipe. Lorg sí ceol pop éigin. Arsa guth an láithreora . . .

'Tá scéal faighte againn anois díreach gur tharla timpiste ar an mbóthar iarainn in iarthar na tíre, cóngarach do Chill Aodha . . .'

'Ó, ná habair! Daideo!' Bhreathnaigh Bláithín ar leac na fuinneoige. Bhí Brenda ag miongháre go sona.

'Tabharfar níos mó sonraí de réir mar a thagann eolas isteach. Tuigtear gur gortaíodh roinnt daoine.'

Thosaigh Bláithín ag caoineadh. Thuas ar leac na fuinneoige bhí Brenda ag miongháire go sona sásta. D'éirigh Bláithín aniar. Amach as an leaba léi–céim–áá! Bhí a cos nimhneach. Trasna chun na fuinneoige léi ar leathchos. Bhrúigh sí . . .

Staaaaaaaaad!

Scréach coscáin! Boinn ag sciorradh! Dhún Bláithín a súile go teann. Thit sí ar ais sa leaba. Chuala sí coiscéimeanna gasta ar an staighre.

''Bhláithín! An bhfuil tú ceart go leor? Brón orm as bheith chomh fada. Bhí traein Dhaideo deireanach. Timpiste thuas an líne áit éigin. A Bhláithín! Caithfidh gur thit Brenda den fhuinneog. Thit sí faoi rothaí an chairr. Tá faitíos orm go bhfuil sí ina smidiríní . . .'

Tháinig Daideo aníos an staighre. Rith Ríonaí isteach sa seomra agus í ag luascadh a heireabaill go meidhreach. Bhí miongháire deas ar aghaidh shásta Bhláithín . . .

An Túr Faire

Plab!

'A Ghearóid, ná bí ag bualadh an dorais mar sin!' a ghlaoigh Mam amach go crosta. Rith Gearóid síos an cosán sa chlós agus thug buille fíochmhar don gheata.

Níl mise ag iarraidh chéadtráthnóna na saoire a chaitheamh ag tabhairt aire do Liam, ar sé leis féin go feargach. Agus ar chaoi ar bith, gheall mé go gcasfainn le Bob ar an trá. Ach le fírinne, bhí sé ag mothú beagán ciontach, mar bhí go leor le déanamh ag Mam leis an bpáiste nua agus ní raibh an t-am aici a bheith ag imirt le Liam. Rachaidh mé amach ag imirt peile leis sa chlós anocht, arsa Gearóid leis féin, agus mhothaigh sé níos fearr ar an bpointe. Ar aghaidh leis, mar sin, i dtreo na trá agus cluasáin a raidió Walkman ina chluasa. Chas sé an cnaipe chuig FM2. Bhíodh Daideo ag magadh uaireanta agus ag rá, 'Lá éigin greamóidh an Walkman sin i do chluasa agus beidh tú cosúil le buachaill as Mars!'

Thíos ag an gcuan d'fhan Gearóid ar Bhob ar feadh leathuair an chloig ach níor tháinig sé. Caithfidh sé nach féidir leis teacht, arsa Gearóid leis féin. Ach ní raibh sé féin ag iarraidh dul abhaile fós–ní go dtí go ndéanfadh Mam dearmad ar an gcantal a bhí uirthi. Chaith sé tamall ag breathnú ar Mhuiris agus ar a dhaid ag ullmhú le dul amach sa luaimh. Ansin shiúil sé go dtí na carraigeacha os cionn na trá. Tháinig sé chuig an túr faire. Foirgneamh aisteach ab ea an túr faire. Bhí ocht dtaobh air, díon cothrom, agus fuinneoga caola gan gloine iontu ag breathnú amach os cionn na farraige. Bhíodh Daideo ag rá gur ón áit sin a bhíodh Arm an Bhaile ag faire le linn an chogaidh, ar eagla go dtiocfadh aon dream isteach ón bhfarraige. Bhíodh an doras faoi ghlas i gcónaí, agus bhí rabhadh mór air i litreacha dearga–NÁ TÉIGH ISTEACH. Ach bhí an doras ar oscailt inniu . . .

Bhí Mam tar éis fainic a chur ar Ghearóid míle uair, 'Ná bí ag imirt in aice leis an túr faire! Tá an seanfhoirgneamh sin dainséarach'. Ach tar éis an tsaoil . . . cén dochar breathnú isteach . . . Shleamhnaigh sé leis go dtí an doras. Ní raibh duine ar bith ann. Isteach leis go cúramach agus bhreathnaigh sé mórthimpeall. Huth, ní raibh mórán anseo; bhí an áit dorcha agus folamh seachas roinnt bruscair ar an urlár. Ach céard é seo? Ó, cúl! Sean-ghásmhasc! Ba chuimhin leis pictiúr de cheann a fheiceáil uair amháin. Chuir sé air é. Bhí boladh aisteach uaidh. Tháinig uisce lena shúile . . .

'Seo na longa ag teacht!' Gheit Gearóid. Cé a bhí ag glaoch isteach ina chluas? Chuimhnigh sé ansin go gcaithfidh gur ón Walkman a bhí an guth ag teacht! Rinne sé iarracht an tsreang a tharraingt óna chluas, ach ní raibh sé in ann. Bhí sí greamaithe dá

chloigeann! A mhac go deo, céard a bhí ag tarlú? *'Tá siad le feiceáil anois!'*

Rith Gearóid chuig fuinneoga an túir agus bhreathnaigh síos ar an trá. Bhí slua ansin ag stánadh amach agus iad ag súil le rud éigin. Cérbh iad? Bhí sé rófhada ón áit le mórán a fheiceáil, agus, mar sin, d'fhág sé an túr agus chuaigh síos go dtí an trá. Chaith sé an gásmhasc ar leataobh ar an mbealach.

Thug sé faoi deara go raibh na daoine ag caitheamh éadaí aisteacha. Chuimhnigh sé go raibh pictiúirí de dhaoine in éadaí mar sin feicithe aige ina leabhar staire faoin chogadh. Bhí na gasúir ag caitheamh brístí dorcha gairide go dtí na glúine, agus bhí na cailíní ag caitheamh sciortaí fada agus dath dorcha éigin orthu. Bhí scaifeanna ar a gcloigeann ag a máithreacha agus seanéadaí a raibh an dath tréigthe iontu. Go tobann, d'éirigh siad corraithe.

'Tá na longa le feiceáil!' a ghlaoigh duine de na mná.

'Sin iad ag teacht!' a scread gasúr éigin, ag díriú a mhéire amach i dtreo na farraige.

D'fhéach Gearóid sa treo a bhí á thaispeáint ag an ngasúr, agus chonaic sé longa ag druidim leo ar fhíor na spéire, mar a bheadh spotaí beaga i dtosach, agus ansin ag éirí níos mó agus níos mó de réir mar a bhí siad ag teacht níos cóngaraí. Bhí gach long lom lán le fir a bhí ag croitheadh lámh leis an slua ar an trá.

Gheit Gearóid nuair a tháinig smeach ón tsreang ina chluas. *'Dia daoibh arís! Seo Dé hAoine an 29ú Meán Fómhair 1942,'* a d'fhógair guth garbh. *'Tá na longa cogaidh ar a mbealach as Béal Feirste chuig ceann scríbe nach eol dúinn. Tá na mná agus na páistí ag fágáil slán lena bhfir chéile, a n-aithreacha agus a ndeartháireacha. Níl a fhios ag duine ar bith cathain a fheicfidh siad na fir seo arís.'*

Cén clár é sin? Chaithfeadh sé an fhuaim a ísliú ar chaoi ar bith. Bhí pian ina chluasa! Rinne Gearóid iarracht ar na cnaipí a chasadh ach ní bhogfaidís dó. Ag an nóiméad sin rith duine de na gasúir le himeall na farraige agus é ag screadach, 'Slán leat, a Dhaid! Ádh mór, a Uncail Daithí!'—agus ba bheag nár bhuail sé in aghaidh Ghearóid.

Léim Gearóid as an mbealach. Amhail is nach raibh mé ann! a mheas Gearóid go cantalach. Ansin stad sé; sheas sé ina staic. Níl mé anseo! Ní fhaca sé mé. I gcaoi éigin tá mé tar éis aistriú go dtí am éigin eile. Shuigh sé síos ar an ngaineamh . . . trí chéile . . .

D'imigh na longa as radharc thar imeall na spéire de réir a chéile, agus abhaile leis an slua go brónach. Bhí deora i súile na máithreacha, ach bhí siad ag iarraidh a bheith croíúil agus misniúil os comhair na bpáistí. Ní raibh a fhios ag Gearóid céard a dhéanfadh sé. Tháinig crith air—brrr—bhí sé fuar! D'éirigh sé leis an slua a leanacht i dtreo an bhaile. Thug sé faoi deara ar an bpointe cé chomh héagsúil is a bhí an áit anois i gcomparáid leis an mbaile a raibh eolas aige air. Ní raibh na hollmhargaí ná na burgairbheáir ann. Siopaí beaga a bhí ann ina n-ionad—Ó Dochartaigh an búistéir, siopa torthaí agus glasraí Uí Dhomhnaill, siopa aráin Uí Chatháin.

Má théim abhaile, ar sé, b'fhéidir go mbeinn in ann dul ar ais go dtí m'am féin, ar bhealach éigin. Is fiú é a thriail ar chaoi ar bith. Ar aghaidh leis go dtí Sráid an Fhéir—uimhir 36—is ea, sin é! Agus é ag teacht níos cóngaraí, osclaíodh an doras agus tháinig bean agus buachaill beag timpeall deich mbliana d'aois amach. 'Brostaigh, a Tom,' arsa an bhean, 'brostaigh, caithfimid sméara dubha a bhailiú. Tá Gearóid ar a bhealach agus is breá leis toirtíní sméara dubha.'

Iuch! arsa Gearóid. Is fuath liomsa toirtíní sméara dubha. Ach cén chaoi a raibh a fhios acu go raibh mé ag teacht. Agus cé hiad, ar chaoi ar bith?

'Duine de na daoine óga misniúla atá ag seoladh trasna na farraige le troid sa chogadh is ea Gearóid Mac Eoin,' arsa an guth go sollúnta ar an tsreang, *'tá sé ocht mbliana déag d'aois, agus tá sé ag obair ar an long chogaidh, Aontroim, sa Mheánmhuir.'*

Chuimhnigh Gearóid go tobann go mbíodh a Dhaideo ag insint dó faoina dheartháir mór: 'Gearóid ab ainm dó, cosúil leat féin, agus bhí mé an-mhór leis. An bhfuil a fhios agat, samhradh amháin, rinne sé tigín dom sa chrann ag bun an ghairdín. Chaithinn uaireanta fada ansin; bhínn ag dul a chodladh ann uaireanta fiú!' Ar ndóigh, b'in é an 'Gearóid' a bhí i gceist ag an mbean agus ag an mbuachaill beag. Ach, aisteach go leor, aon uair a d'fhiafraigh Gearóid de Dhaideo, 'Cén áit a bhfuil do dheartháir anois?' níor thug Daideo freagra ar bith air.

Ansin rith smaoineamh eile le Gearóid–smaoineamh an-iontach agus é ina sheasamh ansin. 'Tom' a ghlaoigh an bhean ar an mbuachaill beag, nárbh ea? Ach Tom is ea ainm Dhaideo! Tá mé tar éis Daideo a fheiceáil agus é ina bhuachaill deich mbliana d'aois, arsa Gearóid leis féin. Bhí meadhrán ina cheann!

Agus bhí rud éigin eile ag cur as dó anois. Bhí an chaint faoi bhia tar éis a mheabhrú dó go raibh sé stiúgtha leis an ocras! D'imigh sé gan a bhéile a ithe, de bharr a bheith crosta lena mháthair, agus anois bhí agóid ghlórach ar siúl ag a bholg. Dá rachainn isteach in uimhir 36, b'fhéidir go bhfaighinn rud éigin le hithe, a cheap sé. Chuaigh sé go dtí an doras agus chas an murlán. Drochrath air, bhí an doras faoi ghlas! An t-aon rud a d'fhéadfaí a dhéanamh ná dreapadh thar an mballa ar chúl agus isteach sa ghairdín. Siar leis go dtí an lána ar chúl an ghairdín agus dhreap sé thar an mballa. Chonaic sé an seanchrann, agus an tigín a mbíodh Daideo ag caint faoi chomh minic sin thuas ann! Caithfidh mé breathnú air sin, ar sé, agus dhreap sé suas ar na craobhacha ísle agus isteach sa tigín adhmaid.

Bhreathnaigh Gearóid mórthimpeall. Bhí an áit iontach compordach; bhí dhá bhlaincéad dhaite ar an urlár, ceann acu dearg agus an ceann eile gorm. Chonaic sé pinn luaidhe agus páipéar, agus feadóg a bhí snoite as adhmad geal éigin, ar bhord a bhí déanta as píosa de chrann. Shéid sé an fheadóg; tháinig fuaim dheas ard aisti. Bhí bosca taobh leis an mbord. Céard a bhí anseo? Mmm! úlla buí aibí ón gcrann, píosa de cháca milis–agus–céard é seo? Crúiscín beag bainne!

Cuma le Daideo má ithim beagán, ar sé leis féin. Chuir sé an fheadóg ina phóca agus bhris píosa den cháca. Mmm, bhí sé deas blasta. Thóg sé píosa eile. Tar éis cúig nóiméad ní raibh tada fágtha, ná braon den bhainne ach an oiread!

Agus é ag baint plaice as úll buí milis, chuala sé duine éigin ag dreapadh an chrainn. Chaithfeadh sé dul i bhfolach, ach ansin–ní hea! ní raibh aon duine in ann é a fheiceáil pé scéal é! Sheas sé ar leataobh i gcúinne agus chonaic sé beirt bhuachaillí ag dreapadh isteach sa tigín.

'Seo an áit a mbíonn Tom Mac Eoin agus a chairde ag teacht le chéile,' arsa duine acu i nguth sleamhain míthaitneamhach. 'Má thógann muide an stuif seo, ní bheidh sé chomh compordach dóibh–agus beidh orthu muide a íoc as é a fháil ar ais chomh maith! Gabh i leith, a Iain! Tóg tusa na blaincéid agus tógfaidh mise na pinn luaidhe!

Hé! arsa Gearóid leis féin. Fan nóiméad, a leaideanna. Ní féidir libh é sin a dhéanamh air! Is le Tom–le Daideo, an stuif seo. Ach, fan go fóill . . . beidh píosa spraoi agam! Chuaigh sé ar chúl Iain agus bhuail buille trom i gcúl a mhuiníl air.

'Ó! a Éamoinn! Céard tá ort? Ná bí do mo bhualadh mar sin!' Chas Ian go feargach ar a chara, ach bhreathnaigh seisean ar ais go neamhchiontach. Níor thuig sé céard a bhí cearr.

'Ní dhearna mise tada!' ar sé.

'Bhuel, ná déan arís é!' arsa Ian go borb.

Tá go maith, a mheas Gearóid. Éamonn anois. Bhí sé ag baint an-taitnimh go deo as seo anois! Bhain sé a hata d'Éamonn agus chuir ar chloigeann Iain é.

'Céard sa diabhal . . .' Chas Éamonn mórthimpeall, a lámh ar a chloigeann, agus bhreathnaigh ar a hata ar chloigeann Iain, agus a bhéal ar leathadh.

'Sin do dhóthain!' a scread Ian, a aghaidh chomh dearg le fuil, 'Tá tú á lorg anois!'

Agus sall go dtí Éamonn leis go bagrach agus a dhá dhorn san aer aige. Phléasc Gearóid amach ag gáire.

Níor chuala na buachaillí é, ar ndóigh, ach bhí Gearóid ag gáire an oiread sin gur bhuail sé i gcoinne an bhoird. Thit na pinn luaidhe a bhí air ar an urlár. Sheas Ian ina staic, a shúile ar leathadh. 'C . . . c . . . cén chaoi ar bhog siad sin?' ar sé agus creathán ina ghlór. Nuair a chonaic Gearóid an chuma a bhí air, bhuail racht gáire é. Rug sé ar cheann de na pinn luaidhe agus scríobh ar phíosa páipéir - I -A -N. Níor fhan Ian. Síos leis as an gcrann d'aon léim amháin agus thar an mballa leis agus é ag screadaíl mar a bheadh muc ann an bealach ar fad síos an lána.

Stop Gearóid den gháire agus rug greim ar an mblaincéad dearg. Tharraing sé thar a chloigeann é agus chroith sé a lámha os comhair Éamoinn.

Bhí a chuid gruaige seisean ina seasamh ar a chloigeann faoi seo agus, le scread léanmhar ''MhaaaaaaM!' léim sé ón gcrann agus amach go dtí an lána gan teannadh leis an talamh, ach ar éigean, agus d'imigh as radharc. Bhí Gearóid in ann 'MaaaaaM!' a chloisteáil agus é ag rith síos an lána.

Bhuel, bhain mé spraoi as sin, arsa Gearóid. Ach anois, chaithfeadh sé bealach abhaile a aimsiú. Mhothaigh sé an tsreang ina chluas. Is ea, bhí sé greamaithe ann i gcónaí. B'fhéidir go mbeadh sé chomh maith agam dul ar ais go dtí an túr. Sin é an áit ina raibh mé nuair a tharla sé seo dom. B'fhéidir go bhféadfainn filleadh ar an aimsir láithreach ansin chomh maith.

Ar aghaidh leis. Bhí an oíche ag titim faoi seo, agus—brrr—bhí sé fuar chomh maith. Bhí an siopa ag an gcoirnéal ag dúnadh i gcomhair na hoíche.

'Bíonn ar gach duine a chuid fuinneog a chlúdach gach uile oíche,' arsa an guth go sollúnta, *'ar eagla go bhfeicfeadh an namhaid solas ar bith ó na heitleáin thuas. Agus tá ordú againn ón rialtas gan soilse sráide a lasadh i mbaile ar bith.'*

Bhí gach uile dhuine ag dul isteach ina gcuid tithe agus bhí gach rud dubh dorcha. Ach thug Gearóid suntas d'fhear amháin ar rothar. Bhí éide dhorcha air. Fear an Phoist, b'fhéidir? Chas sé isteach i Sráid an Fhéir. Cá raibh sé ag dul? Bhí sé ag scrúdú uimhreacha na dtithe sa dorchadas. Stop sé ag uimhir 36 agus chnag ar an doras. Tháinig an bhean a chonaic Gearóid roimhe seo go dtí an doras. Mo sheanmhamó, arsa Gearóid leis féin.

'Sreangscéal duit. Tá brón orm,' arsa Fear an Phoist, agus d'imigh sé.

Léigh an bhean an sreangscéal agus thosaigh sí ag caoineadh. Bhreathnaigh Gearóid uirthi agus iontas air. Céard a bhí cearr léi? Nuair a chuala siad an caoineadh, rith a fear céile agus Tom go dtí an doras agus tháinig cuid de na comharsana ó na tithe in aice láimhe anall chuici chomh maith. Thóg a fear céile an sreangscéal uaithi agus léigh sé amach é: 'Gearóid Mac Eoin. Ar lár ar pháirc an chatha.' Ba bheag nár léim Gearóid as a chraiceann. Sin é an rud a tharla do dheartháir Dhaideo, maraíodh sa chogadh é!

Chuir an fear a lámh go bog ar ghuaillí a mhná céile. Bhí sise ag caoineadh agus a naprún lena súile anois. Threoraigh an fear isteach sa teach í agus chas chuig Tom–Daideo. 'Gabh i leith, a Tom, a mhaicín,' ar sé go ciúin. 'Tar isteach–ní bheidh Gearóid ag teacht abhaile anocht.'

Bhí sé chomh dubh le pic faoi seo; ní raibh léas solais le feiceáil ó fhuinneog ar bith ná ní raibh duine ar bith le feiceáil ar an tsráid. úúúúúúÚÚÚÚÚÚÚÚúúúúúú! Réab fuaim uafásach tríd an oíche. Gheit Gearóid arís. Céard sa diabhal a bhí ansin? Bhí daoine ag rith amach as na tithe agus ag glaoch ar a chéile. 'An bonnán! Arís! Caithfidh go bhfuil siad ag teacht arís! Ar chuala sibh na heitleáin?'

'Tá an bonnán ag fógairt go bhfuil eitleáin Ghearmánacha tar éis teacht le buamaí a chaitheamh,' arsa an guth. *'Tá siad ag díriú ar na longchlóis agus ar spriocanna míleata—tá siad cóngarach dúinn. Is féidir le buamaí dul ar strae uaireanta. Tá gach uile dhuine ag dul ar foscadh ina bhfoscadáin aer-ruathair. Brostaigh, nó beidh tú ródhéanach . . . !'*

Thosaigh Gearóid ag rith síos go dtí an trá. Bhí sé deacair an bealach a fheiceáil sa dorchadas. Bhuail sé i gcoinne sceacha éigin–abha!–mhothaigh sé scríobadh ar a lámh. Nnnnnnnnnnn! Bhí na heitleáin díreach os a chionn! Thosaigh meallta móra de chineál éigin ag titim as an spéir. Tharla splanc agus pléascadh cóngarach go leor dó. Rith sé ar aghaidh. Mhothaigh sé an gaineamh faoina chosa faoi dheireadh. Sa treo sin thall a bhí an túr faire. Chonaic sé an cruth dorcha os a chomhair. Ansin, thit sé thar rud éigin–damnú air! Ach mhothaigh sé an gásmhasc lena mhéara agus é ag titim. Chuimhnigh sé ansin. Bhí sé tar éis an gásmhasc a fhágáil taobh amuigh den túr faire! Chuir sé air an gásphúicín. Bhí boladh aisteach ina shrón, tháinig uisce lena shúile . . .

D'oscail Gearóid a shúile agus bhreathnaigh sé mórthimpeall. Bhí sé taobh amuigh den túr faire.

Bhreathnaigh sé síos ar an bhfarraige. Bhí an ghrian ag lonrú ar an trá agus bhí páistí ag imirt ann. Chonaic sé luaimh Mhuiris agus a Dhaid amuigh ar an uisce. Bhí sé ar ais! Ach mhothaigh sé rud éigin ina lámh–iuch!– an gásmhasc. Bhí doras an túir fhaire ar oscailt fós. Chaith sé an gásmhasc isteach agus shiúil sé leis go gasta. Bhí an Walkman ag seinm popamhrán nua éigin. Tharraing sé ar an tsreang agus tháinig sí amach as a chluas gan stró. Bhí Gearóid ag smaoineamh ar an nguth, agus ar na rudaí go léir a bhí feicthe aige–na longa cogaidh, an tigín sa chrann, Éamonn, Ian, an sreangscéal . . . Ach cén chaoi a bhféadfadh a leithéid tarlú? ar sé leis féin go héiginnte.

Bhuail sé bóthar i dtreo an bhaile. Tá súil agam go mbeidh a cantal dearmadta ag Mam anois!

Nuair a shroich Gearóid an teach, chonaic sé carr Dhaideo páirceáilte taobh amuigh. Chuaigh sé isteach tríd an gcúldoras agus bhí Mam ag réiteach béile sa chistin. Rinne sí miongháire le Gearóid. 'Haigh, a Ghearaí!' ar sí. 'An raibh tráthnóna deas agat? Tá an suipéar beagnach réidh. B'fhéidir go raibh mé beagáinín crosta leat am lóin. Nigh do lámha agus tosóimid.'

Taobh istigh de chúig nóiméad, bhí Gearóid, Mam, Liam agus Daideo ina suí ag an mbord–agus, an rud is annamh is iontach, bhí an páiste ina chodladh.

Bhí Liam agus Daideo tar éis a bheith ag imirt sa ghairdín, agus bhí Daideo ag insint an scéil faoin tigín sa chrann. Shocraigh Gearóid gan aon rud a rá faoina chuid eachtraí. Leis an bhfírinne a rá, níor theastaigh uaidh amadán a dhéanamh de féin–bhí an rud ar fad chomh dochreidte sin . . .

'Is cuimhin liom uair amháin,' a dúirt Daideo le Liam, 'bhí an cat tar éis dul a chodladh sa tigín sa chrann. Bhíos féin ag dreapadh suas, agus sháigh an cat a chloigeann amach as an tigín. Baineadh preab asam–thit mé an bealach ar fad go talamh, agus stróic mé mo bhríste. Bhí Mam le ceangal!'

Rinne Liam agus Gearóid gáire faoin scéal. Nuair a smaoinigh Gearóid ar Dhaideo ina bhuachaill beag agus é ag titim ar a thóin, phléasc sé amach ag gáire. Bhí sé díreach tar éis a bhéal a líonadh le bágún agus ubh. Ba bheag nár thacht sé é féin leis an ngáire. Nuair a tharraing sé ciarsúr amach as a phóca go gasta le cur os comhair a bhéil, thit rud éigin amach ar an urlár. Shín Daideo síos chun é a phiocadh suas, agus é ag baint taitnimh as gáire mór Ghearóid; ansin, go tobann, d'éirigh sé bán san aghaidh.

'Céard tá cearr, a Dhaideo?' a d'fhiafraigh Mam agus stad ina glór.

'Cá bhfuair tú é seo?' a d'fhiafraigh Daideo de Ghearóid, agus chonaic Gearóid gurbh í an fheadóg bheag adhmaid a bhí ina lámh. Bhí sé tar éis í a chur ina phóca nuair a bhí sé ag ithe an chíste sa tigín sa chrann.

Níor dhúirt Gearóid rud ar bith.

Lean Daideo ar aghaidh, 'Rinne mo dheartháir Gearóid í sin dom sula ndeachaidh sé chun an chogaidh. Bhí an-mheas agam ar an bhfeadóg chéanna, ach chaill mé í. Chuardaigh mé gach uile áit ach níor tháinig mé uirthi riamh, go dtí anois. Cén áit a raibh sí, a Ghearóid?'

Bhí súile gach uile dhuine dírithe ar Ghearóid . . . 'A Ghearóid . . .'

An Teach Mór

'An féidir bricfeasta a bheith againn gach uile lá mar a bhíonn againn sa Fhrainc, a Mham?' a d'fhiafraigh Annraoi. 'Is fearr liom *croissants* agus subh silíní ná bia ar bith eile!'

'Thugas é sin faoi deara ar maidin,' a d'fhreagair a mháthair go grod. 'Cá mhéad acu a d'ith tú—trí cinn nó ceithre cinn? Ní fhaca mé riamh duine a bhí in ann an oiread sin bia a shlogadh siar in aon bhéile amháin! Ní haon ionadh go raibh tinneas boilg ort ar an traein i dTollán Mhuir nIocht.'

'Ach bhí an traein go hiontach!' arsa Líse, deirfiúr Annraoi. 'Chuamar uirthi sa Fhrainc agus thuirlingíomar i Sasana! Bhí sé i bhfad níos fearr ná a bheith ag dul ann ar muir, nach raibh, a Mham?'

'Bhí, ach ba thrua nach raibh muid in am don traein luath,' arsa a máthair, Eibhlín Dáibhis. 'Ní maith liom a bheith ar an mbóthar uaigneach seo go déanach san oíche. Cén áit a bhfuil muid anois, a Ruairí,' a d'fhiafraigh sí dá fear céile. 'Cé chomh fada is atá muid as Holyhead? Tá sé thar am do na gasúir seo a bheith ina gcodladh!'

'Ach, a Mham, tá muid ar saoire, agus níl tuirse ar bith ormsa,' a d'fhreagair Annraoi go míchéadfach. Mhothaigh sé beagán crosta lena mháthair. Tar éis an tsaoil bhí seisean dhá bhliain déag d'aois agus ní raibh Líse ach a hocht.

'Timpeall dhá scór míle, b'fhéidir. Tá sé deacair a rá sa cheo seo. Ná bí buartha, a Eibhlín, beidh muid in Holyhead go díreach tar éis mheán oíche, geallaim duit . . . Céard sa diabhal . . . !'

Mhúch soilse an chairr go tobann agus bhí gach uile shórt i ndorchadas; tar éis nóiméid eile, stop inneall an chairr.

'Céard tá cearr, a Ruairí?' a d'fhiafraigh Mam, agus iarracht de scéin ina guth.

Ní bhfuair sí freagra ar bith mar bhí Daid taobh amuigh cheana féin, a cheann sáite faoi bhoinéad an chairr agus é ag iarraidh a fháil amach céard a bhí cearr sa ghréasán sreangacha.

'Tabharfaidh mise lámh chúnta do Dhaid,' arsa Annraoi agus amach leis ar an bpointe. Ach cé go ndearna an bheirt acu a ndícheall faoi sholas an tóirse, níor éirigh leo an carr a thosú arís. Faoin am seo bhí Líse tar éis teacht amach chucu le fáil amach céard a bhí ar siúl, agus thug Mam a gcótaí báistí dóibh, mar bhí an brádán ag éirí trom anois, agus an ceo ag leathnú agus ag éirí níos tibhe.

'Bhuel,' arsa Daid go meáite sa deireadh, 'tá rud éigin cearr leis an leictreachas, ach ní féidir liom é a shocrú. Beidh orainn meicneoir a fháil le breathnú air. Níl le déanamh againn ach fón a lorg agus glaoch a chur ar an AA nó ar gharáiste. Ar thug duine ar bith agaibh faoi deara an ndeachaigh muid thar bhosca teileafóin nó thar theach le cúpla míle siar?'

'Thug mise! Tá mé cinnte go bhfaca mé geataí móra iarainn, mar a bheadh ag teach mór,' a d'fhreagair Annraoi. 'Ar thaobh na láimhe deise, tar éis dúinn dul tríd an gcoill ag barr an chnoic sin thoir. An cuimhin leat, a Líse? Bhí armas de chineál éigin orthu.'

Chlaon Líse a cloigeann ag aontú leis agus chuir Daid an carr faoi ghlas agus thosaigh siad uile ag siúl soir an bóthar faoi sholas thóirse Annraoi. Tar éis dóibh míle go leith nó mar sin a shiúl, bhí Mam ag éirí amhrasach an bhfaca na gasúir na geataí ar chor ar bith. 'An bhfuil tú cinnte nach i do chodladh agus ag brionglóideach a bhí tú, a Annraoi?' ar sí go crosta, mar bhí sí an-tuirseach faoi seo. Ach, go tobann, agus é ag díriú an tóirse ar na sceacha ar thaobh an bhóthair, ghlaoigh Annraoi go buacach. 'Is ea, sin iad!' Agus ceart go leor bhí geataí áille iarainn ann, le harmas ar a raibh na focail—'*Moriatur qui venit*'.

'Céard is brí leis na focail sin, a Mham?' a d'fhiafraigh Líse. Ach ní raibh Mam in ann a rá léi mar bhí an beagán Laidine a d'fhoghlaim sí ar scoil ligthe i ndearmad aici le fada.

Bhí na geataí ar leathoscailt, agus, mar sin, isteach leo. Bhí siad ag siúl ar ascaill réasúnta leathan, na crainn ag fás go tiubh mar a bheadh áirse thairis. Bhí deora báistí ag titim orthu ó na crainn. 'Iuch!' arsa Líse, ag clamhsán faoi na deora a shil isteach faoi bhóna a cóta agus síos a droim. Tháinig siad go dtí casadh ar an ascaill agus ansin, os a gcomhair, bhí teach a bhí chomh mór sin go bhféadfá 'Teach Mór' a ghlaoch air, agus bhí soilse ag lonrú go fáilteach os cionn an dorais agus trí na fuinneoga. Scaoil Daid osna faoisimh as, nó faoi seo bhí solas an tóirse ag lagú.

Bhuail Daid an cloigín ach, cé go raibh siad in ann fuaim an chloigín a chloisteáil ag macallú tríd an teach, níor tháinig duine ar bith chun an doras a fhreagairt. Bhí an bháisteach níos troime ná riamh anois. Bhrúigh Líse i gcoinne an dorais agus í ag iarraidh fothainne– agus d'oscail an doras go mall! D'fhan siad uile ar leac an dorais, agus ghlaoigh Daid amach sa ghuth ardnósach a bhíodh aige agus é ag labhairt le strainséirí. 'An bhfuil duine ar bith anseo?' Shéid puth tobann gaoithe an bháisteach throm anuas orthu agus isteach leis an gceathrar acu sa halla; d'fhág a mbróga rian fliuch ar an mbrat urláir dearg costasach. Bhreathnaigh siad mórthimpeall. Bhí clog mór ina sheasamh i gcúinne amháin, a lámha ag taispeáint go raibh sé leathuair tar éis a dó dhéag. Bhí pictiúr de chailín óg álainn in éadaí ó aois Eilís I ar bhalla eile, agus i gcoinne an bhalla, faoin bpictiúr, bhí cathaoir snoite álainn. Ansin, plimp! Dhún an doras mór go tobann! Gheit Líse agus í scanraithe.

'Ná bí i d'óinseach,' arsa Annraoi léi agus rith sé chun an doras a oscailt. Cheap sé gurbh í an ghaoth a shéid é. Ach bhí an doras faoi ghlas!

'Cén chaoi ar tharla sin ar chor ar bith?' ar sé go himníoch. 'Níl mé in ann an glas seo a bhogadh!'

'Ná bí buartha,' arsa a Dhaid, 'beidh muid in ann an rud a tharla a mhíniú do cibé daoine atá ina gcónaí anseo. Ach is aisteach an rud é nach bhfuil duine ar bith tar éis muid a chloisteáil go fóill. Tá muid tar éis go leor gleo a dhéanamh. Féachaigí, tá trí dhoras ag oscailt ón halla seo. Feicfimid an bhfuil duine ar bith sna seomraí.'

Chas Líse murlán an dorais ar dheis. Ach níor bhog sé!

'Tabhair domsa é, tá tusa lag,' arsa Annraoi ag magadh fúithi; ach ní raibh seisean in ann an murlán a chasadh ach an oiread.

Thug Mam, agus í ag éirí imníoch, faoin dara doras, ach ní bhogfadh sé sin ach oiread.

'Tá rud éigin aisteach ag tarlú anseo, dar m'anam,' arsa Daid. 'Céard faoin tríú doras seo?' Thug sé casadh don tríú doras–agus d'oscail sé ar an bpointe! Chonaic siad seomra bia galánta. Bhí coinnleoirí lonracha ag lasadh an tseomra agus bhí páipéar costasach le patrúin de phéacóga órga agus gorma ag rith i ndiaidh a chéile mar mhaisiú ar na ballaí. Bhí cása ina raibh sionnach stuáilte ar an matal mór dubh. Thug Líse sracfhéachaint air agus chas uaidh–mhothaigh sí go raibh súile an tsionnaigh ag breathnú uirthi go fíochmhar!

Bhreathnaigh sí ar an mbord. Bhí sé sin leagtha amach le haghaidh béile. Bhí áit ann do cheathrar, le plátaí geala bána agus sceana agus foirc óir.

Líon boladh álainn bia, mairteoil, anlann agus prátaí rósta, an seomra. Ach ní raibh bia ar bith le feiceáil ar an mbord! Agus níos measa, dhún an doras sin de phlimp arís, agus ní raibh doras ar bith eile amach as an seomra!

Bhí Mam agus Líse fíorscanraithe faoi seo. 'Céard tá ar siúl san áit seo?' arsa Mam. 'Doirse a dhúnann iad féin, boladh bia áit nach bhfuil aon bhia, agus gan aon bhealach amach!'

Ach bhí Annraoi ag ceapadh go mba eachtra cheart í. Bheadh scéal aige ab fhiú a aithris dá chairde ar scoil. Bhí sé seo níos fearr ná rud ar bith a bheadh le rá ag an sean-snobaire sin Maitiú! Rith sé go dtí an fhuinneog, ach bhí sí go daingean faoi ghlas! Ansin chas sé i dtreo an tsionnaigh ar an matal. 'An bhfaca sibh rud ar bith chomh gránna leis riamh?' a d'fhiafraigh sé agus é ina sheasamh ar a bharraicíní chun an cása a scrúdú. 'Tá cearc fhraoigh ina bhéal ag an seansionnach seo!'

'Is cuma faoin sionnach,' arsa Mam go mífhoighneach. 'Faigh bealach amach as an áit uafásach seo!'

Chas Annraoi ina treo agus, le linn dó a bheith ag casadh, shleamhnaigh a chos ar an tinteán. Rug sé greim ar phíosa d'adhmad snoite ar an matal chun é féin a shábháil. Go tobann, thosaigh cuid den adhmad snoite ag bogadh faoina lámh, agus ansin chas cuid den tinteán ina leath-chiorcal agus bhí poll dorcha le feiceáil ar a chúl.

'Sin é! Seo é an bealach amach!' a scread Annraoi.

'Fainic, a Annraoi! Fan nóiméad!' ghlaoigh a Dhaid air, ach bhí sé ró-dhéanach! Bhí Annraoi tar éis rith isteach sa pholl—agus thit sé ar mhullach a chinn síos, síos, síos . . . 'Áááááá!' Chuala an chuid eile an guth ag dul i léig de réir mar a bhí sé ag imeacht uathu!

Rith Mam agus Daid go dtí an poll agus ghlaoigh Daid amach, 'A Annraoi! An bhfuil tú ceart go leor, a mhic? Cén áit a bhfuil tú?'

Tar éis nóiméid tháinig guth Annraoi faoi mar a bheadh sé ag teacht ó áit éigin i bhfad i gcéin, é an-chorraithe, 'Tá mé go breá! Sa siléar atá mé! Tá seilfeanna lán fíona anseo. Shleamhnaigh mé síos tollán de chineál éigin. Caithfidh sibhse uile teacht anuas go dtí an áit seo mar ní féidir liomsa dreapadh ar ais.'

'Tá muid ag teacht,' a d'fhreagair Daid. 'Téigh tusa i dtosach, a Eibhlín, ansin Líse, agus mise ina dhiaidh sin.

'Ar aghaidh leat, a Eibhlín–suigh ar an imeall agus scaoil do ghreim. Beidh tú go breá!'

Bhí leisce ar Mham a greim a scaoileadh agus sleamhnú síos, ach síos léi sa deireadh agus, taobh istigh de dhá nóiméad, bhí Líse ina diaidh. Bhreathnaigh Daid uair amháin eile ar an seansionnach sa chása leis an gcearc fhraoigh ina bhéal. 'Slán, a chomrádaí,' ar sé agus síos leis siúd chomh maith.

Bhí gach uile dhuine le chéile sa siléar anois. Aisteach go leor, bhí solas leictreach sa seomra seo, faoi mar a bhí ar fud an tí, ach ní raibh radharc ar lasc ná ar shreanga in áit ar bith. Scrúdaigh an ceathrar gach uile choirnéal den seomra go cúramach–agus chuir Daid suim sna buidéil fhíona, a bhí clúdaithe le deannach, ar na seilfeanna.

'Tá cuid de na buidéil seo sean agus an-speisialta,' ar sé. 'Ba chuma liom cuid den bhranda seo a bhlaiseadh.'

'Éirigh as,' a ghlaoigh Mam air, 'cuimhnigh gur bealach amach atá á lorg againn. Cén t-am anois é, a Líse?'

Bhreathnaigh Líse ar a cloigín agus bhí iontas uirthi go raibh sé a dó a chlog ar maidin! Ach bhí sí scanraithe an oiread sin faoi gan doras ar bith a bheith sa seomra seo leis na seilfeanna de bhuidéil dhorcha ag clúdach na mballaí, nár mhothaigh sí an tuirse.

Bhí Daid tar éis bogadh ón mbranda go dtí na fíonta bána agus dearga faoi seo. Bhí buidéal aisteach ag deireadh sraithe áirithe, buidéal dubh a bhí i bhfad níos lú ná an chuid eile agus cuma leathfholamh air.

'Céard é seo?' ar sé, á tharraingt as an raca. Ar an bpointe boise thosaigh na sraitheanna fíona ar bhalla amháin ag sleamhnú siar go mall go dtí go bhféadfadh duine siúl tríd an oscailt.

'Anseo!' a ghlaoigh sé ar an gcuid eile. 'Fan, a Annraoi, ná déan rud ar bith amaideach!' ar sé go gasta agus Annraoi, faoi mar ba ghnách, á chaitheamh féin i dtreo an phoill dhorcha. Stop Annraoi, cos amháin sa pholl aige, agus sháigh sé a chloigeann isteach féachaint céard a bhí ann.

'An chistin atá ar an taobh eile den bhalla seo,' ar sé. 'Tá sé slán sábháilte!'

'An bhfuil duine ar bith ann?' a d'fhiafraigh Eibhlín go neirbhíseach. 'Bí cúramach!'

'Fág seo, tagaigí,' a ghlaoigh Annraoi go mífhoighneach ar an triúr eile. Céard atá cearr le Mam, ar sé, leis féin; an é nach dtaitníonn eachtra iontach mar seo léi? 'Tá mé stiúgtha,' ar sé, 'b'fhéidir go bhféadfainn rud éigin a fháil le hithe anseo! Tá mé cinnte go mba chuma le húinéir an tí. Níl sé anseo ar aon nós, is léir!'

Faoin am a raibh an triúr eile tar éis teacht tríd an bpoll sa bhalla bhí Annraoi gnóthach ag oscailt agus ag dúnadh doirse sna cófraí agus é ag lorg rud éigin le hithe. Bhí boladh álainn bia anseo chomh maith–uibheacha agus bágún an t-am seo–ach greim bia ní raibh sa chistin! Bhí na cófraí lán d'uirlisí cócaireachta, soithí agus bratacha boird, ach ní raibh oiread agus blúire aráin ar fáil le hithe!

Shleamhnaigh an balla ar ais ina áit go mín. Rith Líse go dtí an t-aon doras a bhí sa seomra ar an bpointe, ach, ar ndóigh, ní raibh iontas ar bith uirthi gur theip uirthi é a oscailt. Chuaigh Daid go dtí an fhuinneog, gan mórán dóchais agus, ar ndóigh, bhí sí sin faoi ghlas chomh maith. Bhí a fhios acu go raibh siad faoi ghlas arís eile agus gan aon bhealach amach acu!

Faoi seo ní raibh Daid in ann a imní a cheilt; bhí a fhios aige go raibh siad i mbaol mór—sáinnithe i dteach ina raibh cumhacht neamhshaolta de chineál éigin ag feidhmiú. Cén míniú eile a bhí le fáil ar na rudaí aisteacha a bhí tar éis tarlú dóibh—doirse ag dúnadh ina ndiaidh; iad á seoladh ó sheomra amháin go seomra eile; solas i ngach seomra, ach gan lasc ná sreang le feiceáil in áit ar bith; agus é seo ar fad gan duine ná deoraí eile le feiceáil san áit.

Rinne sé iarracht ar a bhuairt a cheilt ar Mham, ach bhí an iomarca aithne ag Eibhlín ar a fear céile agus bhí a fhios aici go raibh imní air. D'imigh sise le báiní ar fad. Thosaigh sí ag cuardach go fiáin i ngach poll agus cúinne sa seomra le bealach amach a aimsiú—ar chúl na gcófraí, ar chúl an oighinn agus faoi chearnóg de chairpéad daite a bhí i lár an urláir. Bhí Líse ag breathnú ar a máthair agus bhí an scanradh le feiceáil ina súile sise chomh maith. Agus cé nach n-admhódh sé go brách é, ní raibh Annraoi róshona faoin am seo. Thaitin an eachtra leis, cinnte, ach bheadh áthas air a bheith in ann éalú anois.

Go tobann, sheas Mam ina staic.

'An mothaíonn tusa rud éigin, a Ruairí?' a d'fhiafraigh sí go corraithe. Agus, ag an nóiméad céanna, mhothaigh Daid an t-aer sa seomra ag athrú. In ionad boladh na n-uibheacha agus an bhagúin bhí boladh trom milis san aer agus bhí an seomra ag téamh . . . Bhí Líse ag éirí codlatach . . .

'A Líse!' a ghlaoigh a hathair uirthi go géar. 'Ná tit i do chodladh! 'Líse!'

Bhí an teaghlach i mbaol uafásach anois. Muna bhféadfaidís éalú ón seomra, thitfidís ina gcodladh faoi thionchar an atmaisféir throm mhilis . . . bhí sámhán ag teacht ar Ruairí . . . Cheap sé go bhfaca sé cruth éigin ag breathnú isteach tríd an bhfuinneog . . . An fhuinneog! . . . Gan titim inár gcodladh! . . . An fhuinneog . . .

'A Eibhlín! A Líse! 'Annraoi! Anseo! Chuig an bhfuinneog!' bhí sé ag glaoch ach bhí a ghuth ag lagú. 'Faigh rud ar bith–soithí–sáspain–rud ar bith, agus caith leis an bhfuinneog iad. Caithfear an fhuinneog a bhriseadh! Anois! Gabh i leith, 'Annraoi!'

Tharraing Mam í féin go dtí an cófra ba chóngaraí di agus tharraing uirlis amach–sáspan mór dubh i dtosach. Chaith Annraoi i gcoinne na fuinneoige é ach níor fhág sé scríobadh féin ar an bhfuinneog. Babhla mór cré ansin. Bhris sé sin ina smidiríní i gcoinne na gloine gan rian féin a fhágáil uirthi! Bhí Mam ag cogarnaíl léi féin arís agus arís eile, 'Níl aon mhaith ann, níl aon mhaith ann,' agus mhothaigh sí go raibh sí féin ag géilleadh don chodladh mínádúrtha.

Sa chúinne is faide istigh sa chófra bhí cupán beag airgid–an cineál cupáin a thugann daoine mar bhronntanas baiste do leanbh. Rug Mam greim ar an gcupán go fíochmhar agus chaith sí i gcoinne na fuinneoige é le lán-neart. Agus tharla rud aisteach. Scoilt an ghloine, d'at an scoilt—agus bhí poll san fhuinneog! Scaoileadh aer úr folláin isteach sa seomra. Luigh Mam agus Annraoi go lag i gcoinne na fuinneoige agus iad ag tarraingt bolgaim mhóra den aer folláin isteach. Rith Daid go dtí Líse, a bhí ina luí ar an urlár faoi seo, agus í leath ina codladh, agus d'iompair sé í go dtí an fhuinneog. D'oscail a súile beagáinín nuair a mhothaigh sí an t-aer úr.

'A Annraoi, caithfimid an poll a mhéadú . . . láithreach,' a scread Daid, agus d'éirigh leis an mbeirt acu an poll a dhéanamh mór go leor le go bhféadfadh Annraoi agus Mam dreapadh amach tríd. Ansin shín Daid Líse amach chucu agus, ar deireadh, dhreap sé féin amach. Nuair a shroich Daid agus Líse an féar glas fliuch, mheas Daid gur chuala sé scread léanmhar fhada osnádúrtha sa chúlra—Ááááááááá! . . .

Cúig nóiméad déag ina dhiaidh sin bhí an ceathrar acu ina seasamh taobh amuigh de na geataí. Bhí siad tar éis rith ar nós na gaoithe ón Teach Mór. Ní fhaca Annraoi a mháthair ag gluaiseacht chomh gasta riamh cheana! Bhí an ghrian ag éirí anois, bhí an bháisteach stoptha, agus thosaigh na héin ag cantan. Gan focal a rá, shiúil an teaghlach ar aghaidh ar an mbóthar. Ní raibh siad in ann na nithe a tharla dóibh ar ball a chreidiúint. Caithfidh mé cuimhneamh ar gach rud a tharla, a cheap Annraoi, nó ní chreidfidh na buachaillí mé. Trua nár thug mé cuimhneachán éigin liom ón teach. Tar éis dóibh leathmhíle nó mar sin a shiúl, chonaic siad carr ag teacht ina dtreo. D'ardaigh Ruairí a lámh ag iarraidh ar an tiománaí stopadh. Feirmeoir a bhí tar éis teacht amach go luath le breathnú ar lao óg sa gharraí. Aisteach go leor, níor theastaigh ó dhuine ar bith acu, fiú Annraoi, a bheith ag caint ar na rudaí a tharla dóibh, ach mhínigh Daid gur theip ar an ngluaisteán. Dúirt an feirmeoir go dtógfadh sé abhaile leis iad agus go bhféadfaidís glaoch ar gharáiste. Ní shásódh rud ar bith bean an fheirmeora ach bricfeasta a dhéanamh dóibh agus, ar sí leis na gasúir, 'Ar mhaith libh uibheacha agus bagún?'

'Ó, níor mhaith! Níor mhaith, go raibh maith agat! Bheadh píosa tósta go breá,' a d'fhreagair Annraoi go gasta. Go hiondúil bhíodh sé stiúgtha leis an ocras, ach ní fhéadfadh sé ubh agus bagún a ithe an mhaidin áirithe seo!

Arsa Ruairí, ar nós cuma liom, le bean an fheirmeora, 'Le linn dúinn a bheith ag siúl an bhóthair, chonaic muid sean-Teach Mór i bhfad uainn. N'fheadar cé leis an áit sin?'

Bhreathnaigh bean an fheirmeora go haisteach air.

'Níl Teach Mór ar bith sa cheantar seo,' a d'fhreagair sí. 'Bhuel, seachas fothrach Ty Tringad. Bhí tine uafásach ansin leathchéad bliain ó shin. Dódh an áit go talamh agus maraíodh an líon tí ar fad sa tine–an tiarna talún, a bhean chéile agus a mac. Bhí naíonán, iníon óg, ag bean an tiarna chomh maith agus tharla an tine ar an lá ar baisteadh í. Ní raibh siad in ann teacht ar a corp agus ní raibh siad in ann í a chur lena deartháir agus a tuismitheoirí bochta.'

Ar lá deireanach na saoire bhí Líse ag lorg a leabhair scoile agus ag pacáil a mála don lá dár gcionn, tús an téarma nua. I gcúinne sheilf na leabhar tháinig sí ar sheanfhoclóir Laidine a máthar.

'A Mham,' a ghlaoigh sí, 'céard iad na focail Laidine a bhí in armas an Tí Mhóir sin?'

'Fan go bhfeicfidh mé . . . is ea . . . *Moriatur qui venit*,' a d'fhreagair Mam. Le cúnamh an fhoclóra, thosaigh siad ag aistriú na bhfocal–'Go n-éaga a dtagann.'

Bhreathnaigh an bheirt acu ar a chéile . . .

Caisleán an Dorchadais

Bhí an litir tagtha, bhí. Agus bhí scríbhneoireacht Dhaid air! Hurá! Seo an bronntanas lá breithe a bhí ar iarraidh tar éis teacht faoi dheireadh, coicís déanach! Ní raibh dearmad déanta ag Daid uirthi tar éis an tsaoil, in ainneoin a mhná nua agus an bhabaí bhig! Bhí an oiread sin deifre ar Alanna gur stróic sí an clúdach le teacht ar an gcárta istigh, agus thit ceithre nóta deich bpunt nua amach as an gcárta. Iontach! Anois, faoi dheireadh, bheadh sí in ann Caisleán an Dorchadais a cheannach–an cluiche ríomhaire a raibh sí craiceáilte á iarraidh le cúpla seachtain!

'Rachaidh mé go dtí an siopa ríomhairí anois–ní bheidh mé i bhfad!' a ghlaoigh sí ar a máthair.

'Beidh an tae ullamh i gceann leathuair an chloig! Agus cuimhnigh, caithfidh tú glaoch ar Dhaid anocht agus buíochas a ghlacadh leis!' a d'fhógair Mam. Ach bhí Alanna ar a slí amach, agus í ag tarraingt a cóta uirthi ar an mbealach. Lig Mam osna aisti: chroith an teach nuair a phlab Alanna an doras.

Rith sí an bealach ar fad go dtí na siopaí. Tá súil agam nach mbeidh na cluichí ar fad díolta, ar sí go buartha léi féin. Bhí dhá chóip fágtha Dé Sathairn seo caite ar aon nós.

Shroich sí an siopa agus í ar bís. Bhí sé ann! Bhí *Caisleán an Dorchadais* fós san fhuinneog! Taobh istigh de chúpla nóiméad bhí Alanna ar a bealach abhaile, luas beagán níos moille fúithi anois, agus an cluiche i mála plaisteach faoina hascaill.

Bhí an tae réidh nuair a shroich sí an baile.

'Gabh i leith, spaigití Bologna anocht, an béile is fearr leat,' arsa Mam. 'Nigh do lámha agus ná bí rófhada; tá Dara tagtha abhaile cheana féin.'

Níor thuig a máthair ná Dara, a deartháir mór, cad chuige nach raibh Alanna ag caint leo le linn an bhéile. Ní dúirt sí oiread agus focal, tada ach ag slogadh siar spaigití ar nós muice. Tar éis di imeacht suas staighre go dtí a seomra codlata, rinne Mam gáire beag, ach bhí imní ina glór.

'An bhfuil a fhios agat, a Dhara,' ar sí go buartha, 'ceapaim go bhfuil na cluichí ríomhaireachta sin ag glacadh an iomarca d'am agus de spéis Alanna.'

'Ná bí buartha,' arsa Dara léi go bog, mar thuig sé cé chomh deacair agus a bhí an saol uirthi ó d'imigh Daid. 'Beidh mé ag tógáil na madraí go dtí an seó i mBaile Átha Cliath ag deireadh na seachtaine. Is cinnte go mbeidh sí ag iarraidh teacht liom.'

Thuas ina seomra, shuigh Alanna síos os comhair na teilifíse agus chuir an cluiche i bhfearas. Chuala sí scríobadh éigin ag an doras–a madra, Siún, a bhí ann, ach níor bhac sí le héirí agus í a ligean isteach. Bhí a spéis dírithe go hiomlán ar an teilifís. Bhí caisleán le feiceáil ar an scáileán–foirgneamh mór dorcha bagrach agus bhí an ceantar mórthimpeall air ina fhásach–driseacha agus crainn mharbha gach uile áit. Ba é seo Caisleán an Dorchadais. Bhí móta domhain lán d'uisce dorcha thart air. Ach bhí roinnt daoine ag bogadh go cruógach anonn is anall mórthimpeall an chaisleáin. Bhí saighdiúirí ar na ballaí agus iad go léir ag caitheamh libhré–libhré Rí an Dorchadais. Bhí siad ag cosaint an chaisleáin i gcoinne airm eile a bhí á ionsaí ón taobh amuigh. Bhí na saighdiúirí eile seo ag caitheamh cathéide álainn airgid, agus bhí bogha agus truaill saighead ag gach uile dhuine acu. Bhí ceithre thúr ar an gcaisleán, ceann i ngach cúinne, agus ina seasamh ag scoiltfhuinneog i gceann de na túir bhí cailín álainn a raibh gruaig fhada ar dhath an óir uirthi agus gúna bán. Ag breathnú níos géire di, chonaic Alanna go raibh sí ag caoineadh agus ag glaoch agus ag iarraidh ar na saighdiúirí amuigh í a shábháil. Go tobann tháinig dhá líne d'fhocail os comhair an phictiúir ag rá, 'Tá an banphrionsa, iníon Rí na Maidine, ina príosúnach i gCaisleán an Dorchadais. Tá Rí an Dorchadais tar éis í a sciobadh agus í a bhreith leis go dtí a chaisleán. Tá sé á coinneáil ansin ina giall go dtí go dtabharfaidh a hathair ómós do Ríocht an Dorchadais.'

Bhrúigh Alanna cnaipe chun an cluiche a thosú. Bhí saighdiúirí na Maidine ina gcathéidí airgid ag díriú saighead i dtreo bhallaí an chaisleáin, ach ní raibh ag éirí go maith leo–bhí na saigheada ag imeacht leo ar strae i ngach aon treo! Ba é dualgas Alanna na saigheada a dhíriú ar bharr na mballaí, le haird shaighdiúirí an Dorchadais ar na ballaí a tharraingt ó bhuíon bheag de shaighdiúirí na Maidine a bhí ag iarraidh briseadh isteach sa chaisleán. Thosaigh Alanna go díograiseach ag brú cnaipí agus ag cur na saighead sa treo ceart, agus tosaíodh ar shaighdiúirí an Dorchadais a bhualadh agus a ghortú sa chluiche. Bhí saighead amháin as gach cúig cinn ina shaighead tine– bhí na cinn sin ag cur isteach go mór ar shaighdiúirí an Dorchadais. Bhí Alanna in ann captaen amháin a fheiceáil ag screadach orduithe go fíochmhar ar a chuid saighdiúirí, 'Múchaigí na tinte, a amadáin–ionsaígí, cuirigí chuige, ionsaígí . . .' Ach bhí na saigheada ag buachan orthu céim ar chéim . . .

''Alanna! Gabh i leith! Tá sé thar am agat glaoch ar Dhaid le buíochas a ghabháil leis as an airgead. An bhfuil obair bhaile agat anocht? Tar anuas anseo, tá Siún do do lorg le tamall.'

Bhris guth Mham isteach ar an radharc agus, go míshásta agus le hosna, mhúch Alanna an t-inneall agus chuaigh síos staighre.

Dé hAoine a bhí ann an lá dár gcionn agus rith Alanna abhaile caol díreach ón scoil. An príomhrud a bhí ar a hintinn ná Rí an Dorchadais a bhualadh agus bac a chur ar a phleananna i gcoinne bhanphrionsa na Maidine. Rith sí isteach sa teach agus chaith a mála síos sa chistin gan focal a rá. Thosaigh Mam ag caint faoi mar ba ghnách,

'Bhuel, cén chaoi a raibh rudaí ar scoil inniu . . .' ach bhí Alanna as radharc agus thuas staighre; rith sí go díreach go dtí a seomra, gan oiread agus beannú dá máthair ná do Shiún. Bhreathnaigh a máthair ina diaidh agus cuma bhuartha ar a haghaidh agus, nuair a dhún Alanna doras a seomra de phlab, chúlaigh Siún isteach ina ciseán go díomách, a heireaball síos léi.

Nuair a bhrúigh Alanna an cnaipe an t-am seo, bhí halla an chaisleáin le feiceáil ar an scáileán, agus daoine agus saighdiúirí ag baint taitnimh as féasta breá. Bhí na boird lán d'fheoil de gach saghas agus le sólaistí milse —torthaí deasa agus toirtíní blasta—agus shuigh na saighdiúirí ag na boird agus iad ag gáire agus ag baint taitnimh as gach rud. Bhí siad uile ag caitheamh an libhré dhuibh, mar ba ghnách, ach bhí sé éasca Rí an Dorchadais a aithint, mar bhí seoda luachmhara de gach dath fuaite ar a chlóca dubh veilbhite. Agus, ar chúl an Rí, bhí an Captaen Mallaithe ina sheasamh, an captaen a chonaic Alanna roimhe seo, agus mar ba ghnách, bhí miongháire cruálach ar a aghaidh bhrúidiúil. Ach cá raibh an banphrionsa anois? Ansin chonaic Alanna cailín aimsire bocht agus mias throm feola á hiompar aici go dtí an príomhbhord.

'Déan deifir, a chailín leisciúil, tá do rí ag fanacht ar a chuid bia!' a ghlaoigh an Captaen Mallaithe go garbh léi. Ansin, 'Níl cleachtadh ag an mbanphrionsa freastal ar dhaoine atá níos uaisle ná í—féach cé chomh ciotach is atá sí i mbun na hoibre.' Agus rinne sé gáire agus bhuail an mhias i gcaoi is gur thit an bia go léir ar an urlár! 'Tá tú ciotach, a chailín! Tóg an bia sin ón urlár agus imigh le haghaidh tuilleadh feola do do rí,' ar sé agus chas sé i dtreo na saighdiúirí: 'Caithigí í seo ar ais sa chillín ar bharr an túir mura ndéanann sí níos fearr ná sin!'

Chas an cailín, agus bhí Alanna in ann na deora a fheiceáil i ndoimhneas a súl gorm–tá sí ag fulaingt go géar sa phríosún. Ba mhaith liom cleas nó dhó a imirt ar an gcaptaen lofa sin. B'fhéidir . . . bhrúigh sí ar an gcnaipe arís, agus thuirling saighead ghealdaite cóngarach do chosa an Chaptaein Mhallaithe. Léim seisean as an mbealach agus iontas air, ansin tháinig saighead eile, agus ceann eile, agus ceann eile fós . . . Faoi seo, bhí an Captaen ag léim mórthimpeall mar a bheadh dreoilín teaspaigh, agus é ag screadach in ard a chinn is a ghutha. Ní raibh tuairim aige cárbh as a raibh na saigheada ag teacht. Chaill na saighdiúirí spéis sa bhanphrionsa nóiméad, agus thosaigh siad ag gáire faoin gCaptaen.

'Dúnaigí bhur gclab, a amadána!' a scread sé go gránna. 'Fan go bhfaighidh mise greim ar an mbithiúnach atá ciontach as seo–beidh aiféal air! . . . agus go tobann bhí sé mar a bheadh sé ag breathnú isteach i súile Alanna, agus a shúile gránna ag spréachadh!

Mhúch Alanna an t-inneall ar an bpointe; mhothaigh sí í féin ag crith mar gheall ar an amharc uafásach gránna a bhí i súile an Chaptaein Mhallaithe. Go tobann níor theastaigh uaithi a bheith ina haonar sa seomra, agus rith sí síos staighre chuig a máthair agus d'fhiafraigh sí ar nós cuma liom, 'Cén uair a bheidh an tae réidh, a Mham? Tá mé ag fáil bháis den ocras.'

Tar éis an tae, tháinig Caitlín, dilchara Alanna, ag iarraidh uirthi teacht amach le scuais a imirt sa Halla Spóirt, mar bhí Caitlín tar éis cúirt a chur in áirithe ar feadh uaire le go mbeadh cluiche breá fada acu. Ach tar éis leathuair an chloig bhí Alanna míshuaimhneach inti féin, faoi mar a bheadh rud éigin ag glaoch abhaile uirthi, agus, ar sí, le Caitlín, 'Tá mé uafásach tuirseach anocht. Céard faoi stopadh go luath?'

'Ceart go leor,' arsa Caitlín, 'an bhfuil tú ag teacht le haghaidh cóc sa chaife?'

'Ee . . . n . . . níl, caithfidh mé dul abhaile anois,' arsa Alanna faoina fiacla go gasta, agus amach léi ag fágáil a carad ag stánadh ina diaidh agus iontas uirthi.

Ar ais ina seomra leapa, chuir Alanna an cluiche ríomhaireachta ar siúl agus thuig sí ar an bpointe an chúis a raibh sí ag mothú míshuaimhneach, faoi mar a bheadh rud éigin ag glaoch abhaile uirthi. 'Ó! Ná habair!' a scread sí. Bhí tubaiste ar tí tarlú! Bhí grúpa mór de shaighdiúirí agus de dhaoine a bhí ina gcónaí sa chaisleán tar éis bailiú ar an bhféar a bhí taobh istigh den chaisleán. Bhí an banphrionsa álainn ina lár agus í ceangailte de chuaille, a lámha taobh thiar di, agus carn tuí ag a cosa. Bhí an Captaen ina sheasamh os a comhair, agus lasair tóirse ina lámh. Bhí sé ar tí an tuí a lasadh agus an banphrionsa a loscadh!

Bhí sé ag croitheadh an tóirse agus ag screadach in ard a chinn agus a ghutha ina bhealach gránna, 'Is é an t-aon rud atá le déanamh le cailleacha: iad a loscadh! Ná bíodh aon chleasa á n-imirt agat orm anois mar a rinne tú sa halla aréir! Níl duine ar bith anseo le tú a shábháil anois! Ní féidir le saighdiúirí d'athar an caisleán a ghabháil, tá deireadh leat!'

Bhí an banphrionsa bocht ag lúbarnaíl agus ag déanamh a díchill a lámha a shaoradh ó na rópaí, ach ní raibh gar aici ann. D'ardaigh sí a cloigeann, agus go tobann bhí sé mar a bheadh sí ag breathnú isteach i súile Alanna arís, agus ag impí uirthi cabhrú léi.

Caithfidh mé rud éigin a dhéanamh ar an bpointe! arsa Alanna léi féin. Ach céard? Ansin, chonaic sí a seans. Ar bharr na gcéimeanna a bhí ar chúl an Chaptaein bhí bairille uisce báistí a bhí beagnach lán. Dhírigh Alanna an sprioc ar an scáileán go díreach ar an mbairille agus bhrúigh sí an cnaipe. Pleist! Bhris an bairille ina smidiríní agus síos leis an uisce in aon tonn mhór amháin ar an gCaptaen! Mhúch an t-uisce an tóirse ar an bpointe agus bhí an Captaen fliuch báite. Bhí sé á chroitheadh féin mar a dhéanfadh madra tar éis a bheith san abhainn! Thug sé seo deis eile do na saighdiúirí a bheith ag magadh faoin gCaptaen. Bhog Alanna go gasta, agus dhírigh ar an gcuaille lena raibh an banphrionsa ceangailte. Pléasc! Bhris an cuaille ina dhá leath agus bhí an banphrionsa in ann a lámha a scaoileadh saor. Bealach éigin, d'éirigh léi éalú ón gcarn tuí agus d'imigh as radharc i lár an tslua. Bhí na mná agus na páistí a bhí ag obair sa chaisleán lánsásta í a cheilt, sa chaoi go mbeadh sé deacair ag na saighdiúirí í a leanúint. Rinne Alanna iarracht ar í a aimsiú i measc an tslua, ach bhí sí imithe as radharc. Le linn do Alanna a bheith á cuardach ar an scáileán, mhothaigh sí súile ag dó isteach inti ó threo eile–súile an Chaptaein Mhallaithe! Thuig sé faoi seo go raibh an banphrionsa tar éis cúnamh a fháil ón taobh amuigh, agus bhí sé ag breathnú uirthi go fíochmhar ó lár an scáileáin. Bhí súile dorcha gránna ag an gCaptaen, agus bhí ciorcail dhearga mórthimpeall orthu. Mhothaigh Alanna faoi mar a bheadh sí á bá i ndorchadas na súl sin . . . bhí meadhrán ina cloigeann . . .

'Alanna! An fón duitse! Alanna! Brostaigh!' Chuala sí a deartháir ag glaoch uirthi go mífhoighneach ó áit éigin i bhfad ar shiúl uaithi. Chuaigh sí síos an staighre go drogallach mall, agus a cloigeann trom marbhánta. Caitlín a bhí ar an bhfón, ag fiafraí an mbeadh Alanna ag dul chuig an linn snámha an lá dár gcionn. Ach, ar bhealach éigin, ní raibh Alanna in ann díriú ar a raibh á rá ag a cara, agus thug sí freagra borb go leor uirthi agus chuir síos an fón. Bhí Dara tar éis an comhrá a chloisteáil, agus bhreathnaigh sé go crosta ar Alanna, ag rá, 'Céard sa mí-ádh atá cearr leatsa na laethanta seo? Ag rith suas go dtí do sheomra gach uile sheans a bhíonn agat, gan tada á rá agat le duine ar bith! Má leanann sé seo ar aghaidh, beidh mé ag bogadh an ríomhaire sin amach as do sheomra. Tá Mam ag éirí buartha fút! Tuigeann tú go maith an stró atá uirthi ó d'fhág Daid. Ná bí chomh leithleach sin! Agus cuimhnigh, beidh tú ag teacht liom chuig seó na madraí i mBaile Átha Cliath amárach. Nár chóir duit folcadh a thabhairt do Shiún roimhe sin?'

Bhí Alanna tar éis teacht chuici féin beagáinín faoi seo, ach scanraigh sí nuair a smaoinigh sí nach mbeadh a fhios aici céard a tharla don bhanphrionsa tar éis di í a shábháil ón tine, agus d'fhreagair sí,

'Tá an-bhrón orm, a Dhara. Ní bheidh mé ag imirt níos mó leis an ríomhaire anocht. Éireoidh mé go luath maidin amárach le folcadh a thabhairt do Shiún le haghaidh an tseó. Le do thoil, ná bog an ríomhaire as mo sheomra! Fan go bhfeicfidh tú, beidh mé ag cabhrú le Mam go mór as seo amach.'

'Bhuel, ceart go leor,' a d'fhreagair Dara. 'Feicfimid

cén chaoi a mbeidh cúrsaí faoi dheireadh na seachtaine. Ach beidh mé ag coinneáil súil' ort, an dtuigeann tú?'

Nuair a chuaigh Alanna a luí an oíche sin bhí sé i gceist aici dul a chodladh ar an bpointe boise, ar mhaithe le héirí go luath an mhaidin dár gcionn le hullmhú don seó. Mhúch sí na soilse. Ach uair a chloig go leith ina dhiaidh sin, tar éis di a bheith ag casadh anonn agus anall go dtí go raibh na héadaí leapa tite ar an urlár, bhí a fhios aici go cinnte nach bhféadfadh sí dul a chodladh gan féachaint an raibh an banphrionsa slán sábháilte. Dá gcríochnóinn an cluiche, cheap sí, níor ghá don bhanphrionsa a bheith imníoch faoin gCaptaen, agus níor ghá domsa a bheith buartha faoin mbanphrionsa. Agus, ar ndóigh, ní bheidh am agam a bheith ag imirt amárach mar beidh muid ag an seó ar feadh an lae . . .

Tabharfaidh mé sracfhéacaint ghasta le fáil amach an bhfuil an banphrionsa ceart go leor, agus rachaidh mé a chodladh go díreach ina dhiaidh sin, arsa Alanna léi féin. Léim sí as an leaba agus chuir sí an teilifís ar siúl. Bhrúigh sí an cnaipe agus thosaigh sí an cluiche, agus ÁÁÁÁÁÁ! Bhí aghaidh ghránna an Chaptaein Mhallaithe ag líonadh an scáileáin, agus a shúile dorcha ag lonrú go huafásach! Mhothaigh Alanna meadhrán ina cloigeann arís; rinne sí iarracht ar a súile a bhaint den scáileán, ach ní raibh sí in ann. Bhí a corp ag éirí éadrom, bhí sí ag titim, titim, titim . . .

Dhúisigh Alanna go tobann agus mhothaigh sí fuar, an-fhuar. Bhí sí ina luí ar chré fhliuch, agus mhothaigh sí séideán fuar gaoithe ar a muineál. Ní ina leaba féin a bhí sí.

'Bhuel, tá tú tar éis dúiseacht faoi dheireadh! Seo leat, éirigh, caithfimid bogadh go gasta . . . Gabh i leith!'

Chroith Alanna a cloigeann le hí féin a dhúiseacht i gceart, agus d'éirigh aniar ina suí. Cé faoi Dhia a bhí ag caint léi? An banphrionsa! Bhí an banphrionsa ina seasamh os a comhair faoina gúna bán, a bhí salach faoi seo tar éis di a bheith chomh fada sin sa phríosún. Ach bhí a súile gorma ag glioscarnach nuair a rinne sí miongháire le hAlanna.

'Go raibh maith agat', ar sí, 'tá tú tar éis mé a shábháil faoi dhó cheana féin. Nuair a éalóimid as an gcaisleán gránna seo, beidh cúiteamh mór le teacht chugat ó m'athair. Ach anois, caithfimid brostú. Gabh i leith, suas na céimeanna go dtí an túr linn, agus míneoidh mé cúrsaí duit ar an mbealach.'

Rug sí ar lámh Alanna agus tharraing í ar a cosa. Bhí sise fós trí chéile, ach de réir a chéile thuig sí go raibh rud éigin tar éis í a tharraingt isteach sa chluiche, agus nach sa bhaile á imirt a bhí sí. Ní raibh a fhios aici cén chaoi a bhféadfadh sé sin tarlú, ach bhí rud amháin cinnte–bhí a beatha i mbaol anois! Bheadh uirthi bealach éigin a fháil le dul abhaile. Céard sa domhan a déarfadh Dara agus Mam? Ach an chéad rud a bhí le déanamh éalú óna príomhnamhaid . . .

'Cén áit a bhfuil an Captaen Mallaithe?' a d'fhiafraigh sí den bhanphrionsa agus iad ag brostú trí dhorchla caol tais agus suas céimeanna géara.

D'fhreagair sise agus í ag análú go tréan, 'Tá sé féin agus a shaighdiúirí ag súil le hionsaí ó shaighdiúirí m'athar ar an taobh thoir den chaisleán. Ach d'éirigh le duine de spiairí m'athar teachtaireacht a chur chugam trí bhean atá ag obair sa chistin. Dúradh liom dul go dtí an túr ar an taobh ó thuaidh den chaisleán, agus caithfidh cuid de na marcaigh rópa aníos le gur féidir liom dreapadh síos, fad is a bheas saighdiúirí Rí an Dorchadais gnóthach ag troid. Níl mórán ama againn, caithfimid brostú!'

Leis sin, shroich an bheirt doras beag ag barr na gcéimeanna. Bhí an doras dúnta ach d'oscail sé go díoscánach nuair a bhrúigh na cailíní é. Rith Alanna agus an banphrionsa go dtí an scoiltfhuinneog sa mballa féachaint an raibh Marcaigh na Maidine ag fanacht orthu–bhí, bhí beirt shaighdiúirí ann agus rópa le crúca air ina lámha. Nuair a chonaic siad an bheirt ag an bhfuinneog, chaith duine acu an rópa in airde. 'Ceap é, a Alanna!' arsa an banphrionsa, ach, ní hea–theip ar Alanna greim a fháil air agus thit an rópa ar ais ar an talamh. Chaith an saighdiúir chuici arís é agus, an t-am seo rug Alanna ar an rópa, cé gur scríob sé a méara agus tharraing fuil, mar bhí sé an-gharbh! Faoi seo, bhí Alanna agus an banphrionsa in ann screadach agus béicíl Shaighdiúirí na Maidine a chloisteáil agus iad ag ionsaí an chaisleáin. Pléasc! Plab! Bhí macallaí tríd an áit agus an dá thaobh ag troid faoi lán nirt! Cheangail Alanna an rópa de cheann de bharraí na fuinneoige agus thug cúnamh don bhanphrionsa dreapadh thar an imeall.

Feicfidh mé tú taobh amuigh,' arsa an banphrionsa. 'Bí cúramach ar do bhealach síos.'

Bhreathnaigh Alanna uirthi ag sleamhnú go héadrom síos an rópa; shroich sí an talamh go slán sábháilte. A seal féin anois; bhí uirthi dreapadh amach agus greim a fháil ar an rópa. Nuair a bhí sí ina seasamh ar an imeall agus ag fáil greim ar an rópa, go tobann fuair sí boladh deataigh. Céard a bhí ag dó? Bhreathnaigh sí síos. Chonaic sí bladhmanna móra dearga ag síneadh suas balla an chaisleáin! Bhí éirithe le Saighdiúirí na Maidine an caisleán a chur trí thine agus bhí an dóiteán ag leathnú. Bheadh uirthi a bheith gasta nó shroichfeadh na bladhmanna an rópa! 'Brostaigh! Brostaigh!' a ghlaoigh an banphrionsa uirthi. Bhí na bladhmanna ag teacht níos gaire agus níos gaire di, agus bhí an deatach ag cur isteach uirthi! 'Ná fág ródhéanach é! Anois, Alanna! Léim!' Rug Alanna greim ar an rópa, ach le linn di a bheith ag sleamhnú síos mhéadaigh ar an teas go huafásach. Thosaigh an rópa ag dó—bheadh uirthi a greim a scaoileadh . . . 'Léim! Alanna! Láithreach!' Léim Alanna, agus mhothaigh sí í féin ag titim, síos, síos . . . Sular éirigh gach uile rud dubh, chuala sí gáire garbh gránna an Chaptaein Mhallaithe, agus ina dhiaidh sin, faic na fríde . . .

'Tá sé thar am do Alanna éirí! Tá mé ag dul suas go dtí a seomra féachaint cén áit a bhfuil sí,' arsa Mam. 'Gabh i leith, a Shiún, rachaidh muid á dúiseacht, beidh sé in am daoibh an bóthar a bhualadh go dtí an seó sula i bhfad!'

Taobh istigh de nóiméad bhí sí ar ais sa chistin agus imní ina súile.

'A Dhara, níl Alanna ina seomra—agus níor chodail sí ina leaba aréir ach an oiread!'

'Ná bí amaideach, a Mham, ní fhéadfadh sé sin a bheith fíor. I bhfolach in áit éigin atá sí. Rachaidh mé féin suas ag breathnú,' arsa Dara. Suas an staighre leis agus Mam á leanacht.

Bhí seomra Alanna folamh, an t-aon solas a bhí ann ag teacht ó spota dearg i lár scáileán na teilifíse. Bhí boladh dó agus deataigh san aer, ach ní raibh tine in áit ar bith. Chuaigh Siún ó áit go háit ag bolaíocht ar gach uile rud. Bhí a cluasa síos léi agus a súile ar leathadh. Bhí faitíos uirthi. Go tobann thosaigh sí ag geonaíl, go ciúin i dtosach, agus ag éirí níos airde agus níos airde . . .

'Bí ciúin!' a d'ordaigh Dara go crosta, ach bhí buairt ina ghuth. Shín sé a lámh amach agus mhúch sé an teilifís.